D1133537

Les Éditions du Boréal
4447, rue Saint-Denis
Montréal (Québec) H2J 2L2
www.editionsboreal.qc.ca

L'OGRE DE BARBARIE

Pierre Billon

L'OGRE DE BARBARIE

roman

Boréal

Les Éditions du Boréal remercient le Conseil des Arts du Canada ainsi que
le ministère du Patrimoine canadien et la SODEC pour leur soutien financier.

Les Éditions du Boréal bénéficient également du Programme de crédit d'impôt
pour l'édition de livres du gouvernement du Québec.

Couverture : Ann McCall, *Rain, Wind and Fire.*

Diffusion au Canada : Dimedia
Diffusion et distribution en Europe : Les Éditions du Seuil

Données de catalogage avant publication (Canada)

Billon, Pierre

    L'Ogre de Barbarie

    2ᵉ éd.

    (Boréal compact ; 149)

    Éd. originale : Montréal : Éditions du Jour, 1972.

    Publ. à l'origine dans la coll. : Les Romanciers du jour.

    ISBN 2-7646-0275-8

    I. Titre.

PS8553.I4504   2003   C843'.54   C2003-941598-8
PS9553.I4504   2003

Mon père en m'embrassant me dit : « Jean-Jacques, aime ton pays ! Vois-tu ces bons Genevois ? Ils sont tous amis, il sont tous frères. La paix et la concorde règnent au milieu d'eux. Tu es Genevois, tu verras un jour d'autres peuples… Tu ne trouveras jamais leurs pareils. »

JEAN-JACQUES ROUSSEAU

CHAPITRE I

J'habite aux Courtils, chez M. Perruchet. J'ai une chambre pour moi toute seule, elle est au premier étage du café de ma tante Rachel et comme il y a un tilleul juste devant la fenêtre, personne ne peut voir ce que je fais, alors je me déguise pour jouer à des choses.

Les Courtils, c'est un village sur la crête du coteau de Malombré, tout le monde sait où ça se trouve à cause du cimetière qui est le plus grand du canton.

Je connais presque tout le monde ici. Il y a M. Cassani, le marbrier, qui me fait relire les inscriptions de ses tombes, il est formidable pour graver des lettres qui dépassent jamais la ligne, mais il se trompe souvent avec l'orthographe.

En face de chez lui, il y a trois grandes serres l'une à côté de l'autre, avec un écriteau qui dit : *Marcoux Frères, horticulteurs-fleuristes,* mais moi j'ai toujours vu M. Marcoux tout seul, il est vieux et il me donne des fleurs pour donner à ma mère, en me disant que j'ai les mêmes yeux qu'elle.

Le café de ma tante Rachel est en face de l'église protestante, il y a une tonnelle sous les platanes et on ajoute des tables le dimanche quand il fait beau, pour les promeneurs qui sont montés à pied de Genève pour venir mettre des fleurs sur leurs morts. Quand il y a trop de monde, ma tante me permet de l'aider à servir et je peux garder les *bonnes-mains* pour moi.

Sur la Grand'Place, il y a aussi le bureau de poste, la laiterie avec un sale chien et la boulangerie de Mme Montfavon, dont le mari est au service militaire et qui fait son pain toute seule, ce qui n'est pas « un travail pour une femme ». Mon oncle dit aussi qu'elle n'est pas à cheval sur les tickets (c'est une image), mais qu'il faut savoir fermer les yeux, *à cause de l'époque.* M. Perruchet est mon oncle parce qu'il vit avec ma tante Rachel, mais ma mère m'a dit qu'ils ne sont pas vraiment mariés et que de toute façon Rachel n'est pas tout à fait sa sœur. Moi ça m'est égal parce que je m'entends très bien avec lui. C'est le garde champêtre pour toute la commune et aussi le chef de la défense civile. À part ça, il a beau répéter sans arrêt qu'il n'est pas gendarme, les gens viennent toujours le trouver quand il y a des disputes ou quelque chose qui ne va pas dans la région.

Je vais à l'école à Entremont, ça me prend un quart d'heure pour m'y rendre en coupant par le verger des Cramer et presque une heure pour revenir, quand il fait beau temps. Il y a bien une école aux Courtils, mais elle est fermée parce qu'il n'y a plus assez d'enfants au village pour la remplir. M. Viret dit que la jeunesse a déserté les Courtils et que le cimetière gagne chaque jour du terrain sur la municipalité. Je ne comprends pas trop ce qu'il veut dire, mais c'est souvent comme ça avec M. Viret, surtout quand il lève le doigt avant de parler. N'empêche que j'imagine qu'un bon matin on va découvrir une tombe en dehors des grilles du cimetière, qui aurait poussé là pendant la nuit, et je n'aime pas ça.

Une fois, Max Mongenet a raconté dans la classe qu'il avait vu un gros ballon descendre du ciel et tomber près de la vieille forge. Tout le monde voulait aller voir à la sortie de l'école, mais M. Guillemin l'a défendu en disant que ça pouvait être très dangereux. Et puis, pendant la récréation, il est allé téléphoner.

Mon oncle Perruchet était dans le préau à la fin de la classe et il a demandé à Max de le mener vers l'endroit où il avait vu quelque chose. Naturellement je suis allée avec eux et c'est moi qui ai trouvé le ballon en premier, il était tout ratatiné, on aurait dit un grand drap de lit coupé en rond. Mon oncle nous a dit de reculer et il a cassé une branche pour soulever la toile tout doucement. Dessous, il y avait une sorte de petite cage à lapins, pleine de chiffons, avec une grosse pince en fer qui sortait.

— C'est quoi? dis-je.

— Ça s'appelle un ballon incendiaire, dit mon oncle.

Il nous a expliqué qu'il fallait l'avertir tout de suite si jamais on en voyait atterrir d'autres. Celui-là n'avait pas marché, parce que normalement, quand la pince touchait quelque chose, la petite boîte prenait feu et ça pouvait être drôlement dangereux, surtout si ça tombait sur une grange ou sur une maison.

— Mais qui c'est qui a fait ça? dis-je.

Mon oncle a regardé la caisse de plus près et il a secoué la tête comme si c'était trop fort.

— Je ne sais pas qui c'est, dit-il, mais c'est justement ce qui est extraordinaire, c'est que quelqu'un l'ait fabriquée.

— Mais pourquoi? dis-je.

— Parce que c'est la guerre, dit mon oncle.

Ce n'est pas la première fois que j'entends parler de la guerre, mais je ne l'ai encore jamais vue. Tous les jours ma tante Rachel écoute les nouvelles à la radio et après, elle est inquiète et pose des tas de questions à mon oncle. Lui, il regarde de mon côté et il ne lui donne que des petits bouts de réponses.

L'autre jour, à l'école, M. Guillemin nous a dit que dorénavant on n'avait plus le droit de chanter *Roulez tambours* et quand on lui a demandé pourquoi, il a répondu que c'était à cause des événements et que ceux qui désobéiraient seraient punis. Ce n'est pas juste et des fois, pendant la récréation, on se met à trois ou quatre et on va au fond du préau pour chanter en cachette :

Roulez tambours, pour couvrir la frontière,
Au bord du Rhin, guidez-nous au combat…

Tout de même, on peut faire quelque chose pour la guerre, c'est de vendre des cartes pour la Croix-Rouge. Seulement, ma mère m'a défendu de le faire en me disant les raisons, mais c'est toujours la même chose avec elle, plus les raisons sont compliquées et plus elle se fâche pour les dire.

Malgré tout j'ai été forcée de lui désobéir, à cause du concours de M. Guillemin. Au début de chaque semaine, il nous demande combien de cartes on pense pouvoir vendre et comme je n'ai pas beaucoup d'amis dans la classe, je demande toujours le plus grand nombre, pour me faire bien voir. Je n'arrive jamais à toutes les vendre et à la fin, je suis obligée de chiper de l'argent dans une boîte à journaux devant le bazar de Margo Piatti, je la déteste cette bonne femme parce qu'une fois elle s'est mise en colère contre ma mère et elle l'a traitée d'*étrangère*.

Jeudi dernier, je suis descendue à Clos-Fontaine et j'ai sonné à la porte d'une maison où on ne répond jamais. C'est pourtant des gens riches parce que la dame est encore en robe de chambre à dix heures du matin. Ce jour-là j'ai eu plus de chance, elle est venue et m'a pris trois pochettes de cartes d'un seul coup. Elle est partie chercher son porte-monnaie et j'étais sûre qu'elle ne reviendrait pas, mais elle est revenue et m'a demandé si son argent allait servir aussi pour aider les petits Allemands. Je ne savais pas quoi répondre et puis j'ai pensé à M. Henri Dunant, il y a sa peinture au fond de la classe.

— Oui, c'est pour tout le monde, dis-je.

— Dans ce cas, dit la dame, je vais te montrer ce qu'il faut faire avec ces sous.

Elle est sortie sur le trottoir et elle est allée jeter tout l'argent dans une bouche d'égout.

Au sommet de Malombré, il y a le château de Pré-l'Évêque. M. Guillemin nous a raconté que le château avait été construit au Moyen Âge, mais qu'il était encore plus vieux au XVIIIe siècle qu'aujourd'hui, parce qu'un banquier protestant l'avait fait réparer avec les conseils d'une dame viennoise, mais elle était complètement folle et à cause d'elle le château ressemble à un décor d'opérette. Finalement, le banquier s'était tué en avalant une balle mais avant, il avait donné le château au canton de Genève, seulement comme c'était presque impossible de le chauffer en hiver, on en a fait un asile pour les vieillards et c'est là que ma mère travaille.

Elle est garde-malade mais elle n'a pas son diplôme, c'est pour ça qu'on lui donne les nuits. Le jour, elle doit alors dormir, ça fait qu'on se voit pas souvent. De temps en temps je vais lui rendre visite dans sa chambre, malgré M. Fetz. C'est le directeur de l'asile et il dit que ce n'est pas un endroit pour une petite fille.

Ma mère déteste les petits vieux de l'asile parce que, au lieu de dormir la nuit comme tout le monde, ils ont des tas de besoins dégoûtants et passent leur temps à se pendre après un petit cordon qui fait marcher une sonnette dans l'infirmerie.

Des fois ma mère est drôle, elle vient nous trouver

au village quand on ne s'y attend pas et elle demande à ma tante Rachel s'il ne s'est rien passé de spécial.

— Non, pas que je sache, dit ma tante. Pourquoi?

Ma mère répond qu'elle était à l'asile et qu'elle a eu tout à coup l'impression que quelque chose venait d'arriver, mais elle ne sait pas dire quoi.

— Tu te fais des idées, dit ma tante.

CHAPITRE II

Aujourd'hui je n'ai rien à faire parce que c'est l'automne et qu'on a les vacances de pommes de terre. Le tramway vient d'arriver sur la Grand'Place avec quelqu'un que je ne connais pas mais qui a une valise à la main, on voit tout de suite que ce n'est pas un client pour le cimetière.

Il regarde autour de lui comme s'il avait peur que les maisons lui tombent sur la tête. Je m'approche, je suis sûre que dès qu'il me verra il se mettra à me parler.

— Tu sais où c'est chez M. Guillemin ? dit-il en sortant un papier de sa poche.

— Oui, je sais. Vous voulez que je vous conduise ?

— Tu n'as rien d'autre à faire ?

Il a l'air d'hésiter, ou peut-être de chercher quelqu'un.

— Elle est lourde ? dis-je en montrant la valise.

— Non, pas très.

— Je peux la porter?

— Si tu veux. Tu t'appelles comment?

— Catherine.

J'ai l'habitude de dire seulement mon prénom, parce que les gens me font toujours répéter quand je dis mon nom en entier, ou alors ils disent : « Warynski? », comme s'ils trouvaient que c'est un drôle de nom pour une fille.

— Moi, je m'appelle François, dit-il. Est-ce que c'est loin chez M. Guillemin?

— Ça dépend, dis-je. Vous savez, je le connais bien M. Guillemin, c'est mon maître d'école. Mais il est parti.

— Qu'est-ce que tu racontes? Depuis quand il est parti?

— Depuis hier, dis-je. Aujourd'hui on a eu une remplaçante. On n'a rien fait, elle nous a presque tout le temps raconté des histoires.

— Donne-moi ça, c'est trop lourd pour toi, dit-il en reprenant sa valise. Quelle heure est-il? Il fait froid…

Il doit être dans les cinq heures du soir. J'ai envie de lui dire qu'il ne fait pas froid, mais je vois qu'il est très maigre et que malgré son gros pardessus, il a l'air malade et son menton tremble.

— Vous n'êtes pas vieux, dis-je pour mettre les choses au point.

— Je vais dire comme toi tout à l'heure : ça dépend, dit-il avec un sourire. Si tu veux savoir, j'ai dix-neuf ans.

Ça ne me dit pas grand-chose, mais je suis sûre que ce soir ma tante Rachel va me poser la question. J'imagine déjà ce que je vais pouvoir lui dire sur ma rencontre avec l'étranger, et tout le monde au café qui va se taire pour m'écouter. Ça me fait une drôle d'impression, c'est comme si j'avais beaucoup trop d'air à respirer dans ma poitrine et j'ai envie de dire quelque chose de gentil à François, par exemple de le remercier d'avoir choisi aujourd'hui pour venir aux Courtils, mais je n'ose pas. D'ailleurs on est arrivé à Pré-l'Évêque.

— C'est là que ma mère habite, dis-je, c'est plus commode pour elle.

François ne m'écoute pas, il a l'air soulagé de voir que le château est bien à sa place.

— Alors c'est ça, l'asile des vieillards? dit-il. On m'en a parlé au camp, on m'a dit que la maison de Guillemin était juste derrière, c'est bien ça?

— Oui, on y arrive, dis-je. Vous avez été dans un camp, c'est vrai? Vous pouvez me le dire vous savez, j'ai entendu quand ma tante en parlait, elle disait que les Allemands…

Il me coupe la parole :

— Non, c'est pas ça! Quand je suis arrivé en Suisse, on m'a mis dans un camp de triage, tu comprends?

Je dis oui avec la tête, mais je me demande en même temps comment on a fait pour les trier dans ce camp. On a dû mettre les bons d'un côté et les moins bons de l'autre, comme à la récréation quand on partage les équipes pour le ballon prisonnier.

— Quel âge a ta mère ? dit-il.

— Je ne sais pas, elle n'a jamais voulu me le dire. Mais elle est pas vieille, elle est à l'asile seulement pour travailler.

— Tu n'habites pas avec elle ?

— Non, j'habite chez ma tante. Tout à l'heure, sur la Grand'Place, vous avez vu le café ?

— Non.

— Ça ne fait rien, mais il est à ma tante.

On continue de marcher sans parler, je me demande à la fin s'il est fâché parce que je n'habite pas avec ma mère. En arrivant près de la maison de M. Guillemin, il s'arrête tout à coup pour s'asseoir sur sa valise en poussant un gros soupir. Puis il se frotte la nuque comme s'il avait mal.

— J'aurais jamais cru que je finirais par y arriver, dit-il. On dirait le fond d'un étang, tu ne trouves pas ?

Je trouve plutôt que ça sent la terre et les feuilles mortes. C'est la fin de l'après-midi et on ne voit presque plus les arbres, le soleil est derrière et fait de l'or tout autour. La maison de M. Guillemin est en bas de la route, dans une sorte de grand creux. C'est vrai que c'est pas difficile d'imaginer qu'il pourrait y avoir un petit lac à la place de la maison et du jardin.

— Ici, ça s'appelle la Chaumine, dis-je en suivant François.

Parce que je suis avec lui j'ai l'impression de voir pour la première fois des choses qui ont toujours été là, comme la mousse sur les tuiles du toit, le lierre le long des murs et le lichen séché qui pend dans les branches des sapins.

François frappe à la porte avec un petit marteau qui a la forme d'une main fermée. Il attend un moment puis il recommence.

— Je vous ai bien dit qu'il n'était pas là, dis-je.

Il ouvre la porte et il me fait signe de me taire, pour pouvoir mieux écouter. On entend des craquements et je commence à avoir peur, même si je sais que dans l'obscurité on finit toujours par entendre des tas de bruits qui n'existent pas.

À la fin il allume la lumière. On entre dans le vestibule, nos pas résonnent sur les dalles, il y a une petite table au milieu du passage avec une enveloppe adressée à *François Berger*. Il doit être très pressé de savoir ce qu'elle contient parce qu'il la déchire à moitié en l'ouvrant. Dedans il y a une lettre et plusieurs billets de vingt francs.

— M. Guillemin ne sera pas de retour avant trois ou quatre semaines, dit-il enfin. Il ne dit pas où il est allé, est-ce que tu le sais, toi ?

Je ne comprends pas pourquoi il parle à voix basse, mais je lui réponds pareil :

— Non. Qui c'est qui vous a dit de venir chez lui ?

— Personne, dit-il. Je suis venu parce que c'est mon oncle.

La maison de M. Guillemin n'est pas comme je l'aurais pensé ; c'est en désordre et il y a toutes sortes de meubles qui ne vont pas ensemble. Les rideaux n'ont presque plus de couleurs et il y a des taches de moisi au plafond.

On fait le tour de toutes les chambres, à un moment François dit :

— C'est bien ce que j'avais prévu, on se croirait dans un sous-marin.

Je vois bien qu'il s'attendait à quelque chose d'autre et qu'il se dit qu'il ne va pas être heureux ici.

— Si jamais vous vous ennuyez, dis-je, vous pouvez toujours jouer avec l'ogre.

— Ah, parce qu'il y a aussi un ogre ! Tu n'as pas peur de te faire manger ?

— Mais non, dis-je, c'est pas un ogre comme ça, venez voir !

Il me suit au salon et je vais tourner la manivelle de cette sorte de boîte carrée montée sur une patte que M. Guillemin a apportée un jour à l'école en disant qu'il l'avait trouvée au marché aux puces et que c'était une vraie antiquité. Une musique de manège sort entre les petits barreaux en faisant trembler le morceau d'étoffe qui est derrière et ça donne l'impression que la maison est moins triste.

— C'est un ogre de Barbarie, dis-je, ça servait à faire danser les ours.

— On ne dit pas un ogre, dit François, on dit un orgue de Barbarie.

— C'est presque la même chose, dis-je. C'est quoi la Barbarie ?

— Ma foi, je suppose que c'est le pays des Barbares.

— Ça se trouve au bord de la mer ?

— Si on veut, dit-il, c'est partout et c'est nulle part, c'est un pays qu'on transporte avec soi.

— À présent je dois partir, dis-je, mais si vous voulez, je peux revenir une autre fois.

Comme il ne répond pas, j'ouvre la porte du vestibule. Il fait presque nuit dehors. Il me rattrape dans le jardin et il met un genou par terre.

— Je parie que tu es une petite Juive, dit-il en me regardant pour la première fois dans les yeux.

— Oui, Monsieur.

— Tu peux m'appeler François. J'aimerais ça que tu reviennes me voir.

Lui, il a les yeux bleus et pourtant, il y a quelque chose dedans qui les fait ressembler à ceux de ma mère. Je m'attends à ce qu'il m'embrasse, mais il se relève et il rentre dans la maison sans se retourner.

Je cours tout le long du chemin et naturellement mon oncle Perruchet me supprime le dessert parce que je suis en retard. Mais je ne raconte pas ce que j'ai fait, j'invente une histoire à la place. Personne n'a le droit de savoir, c'est un secret entre François et moi.

En me brossant les dents, je vois que mes oreilles sont décollées et que mon menton est beaucoup trop pointu. Pour me consoler, je me mets de l'eau de Cologne sous les bras et je vais vite au lit.

Dans le noir, sous l'édredon, je me raconte souvent des histoires. Des fois, j'habite à Pré-l'Évêque comme une dame viennoise, ma mère est malade et je la fais soigner par des serviteurs qui se dépêchent de venir au premier coup de sonnette.

Mais ce soir j'invente une nouvelle histoire dans laquelle il y a François et je lui fais des gâteaux pleins de vitamines. Il ne le sait pas encore, mais j'ai décidé que je deviendrai sa bonne amie.

CHAPITRE III

Je ne peux pas dire si ma tante Rachel est jolie ou quoi. Mon oncle lui dit souvent : « Tu es très bien comme ça », mais elle doit penser autrement car elle se met du rouge à lèvres et du mascara, même pendant la journée.

Une fois, à table, j'ai dit à mon oncle :

— C'est vrai qu'elle a du bois devant la maison ?

Il est devenu tout rouge, mais il n'était pas vraiment en colère. Il m'a demandé :

— D'où est-ce que tu sors ça ?

— Je l'ai entendu au café. Ça veut dire quoi ?

— C'est une expression. Comment t'expliquer ? Ça veux dire, euh… que ta tante a des économies.

En général, mon oncle et moi on mange seuls ensemble, pendant que ma tante continue à servir au café. Elle nous prépare le repas à l'avance et quand elle a une minute, elle vient s'asseoir pour grignoter quelque chose entre deux clients.

— Tu ne sais pas ce que Cathy vient de me sortir ? a dit mon oncle quand elle nous a apporté le dessert. Il paraît que tu as du bois devant la maison.

Mon oncle connaît des tas de combines, mais malgré tout il n'est pas bon pour les clins d'œil, on les voit toujours. Ils ont éclaté de rire, surtout ma tante Rachel, et j'ai compris qu'il m'avait raconté une blague. Ça m'était égal parce que je savais que ma tante allait tout m'expliquer quand il serait parti. Elle n'est pas du tout sévère, elle me traite un peu comme si j'étais une adulte et me raconte pendant des heures ce qu'elle pense et ce qui lui fait du souci, même que je ne comprends pas tout. Bien sûr, elle se met des fois en boule contre moi et elle dit qu'il faut que j'apprenne à vivre. Mais ça ne dure pas longtemps, et puis il y a toujours moyen de faire des marchés avec elle, par exemple pour qu'elle signe mon carnet d'école à la place de mon oncle, quand M. Guillemin me met une mauvaise note de conduite ou une remarque à l'encre rouge. Elle imite si bien la signature de mon oncle qu'on ne peut pas voir la différence.

Ce matin ma tante est allée acheter des ramequins au fromage pour le dîner. Elle est revenue tout essoufflée.

— Il y a du nouveau, dit-elle. Mme Montfavon vient de me raconter qu'il y a un réfugié chez Louis Guillemin. Il est venu ce matin à sept heures et demie pour lui acheter deux kilos de pain, et il ne savait même pas qu'il fallait des tickets.

— C'est curieux, dit mon oncle, Guillemin ne m'a rien dit.

— Attends, tu ne sais pas le plus beau, dit ma tante. Il prétend qu'il est son neveu.

— Le neveu de Guillemin? Première nouvelle, dit mon oncle en sortant son calepin. Je ne savais pas que Louis avait de la famille.

Il faut dire que mon oncle Perruchet a *des théories* et qu'il note tout dans son calepin pour faire ensuite des équations. Devant lui, ma tante dit qu'il a une étoffe de détective, mais je me demande si elle y croit vraiment. D'ailleurs, à l'école, les garçons se moquent souvent de moi à cause de mon oncle, parce qu'il a les cheveux rouges et qu'il est si grand qu'au bout, il se tient les épaules à moitié bossues.

Ma tante me demande si M. Guillemin nous a dit quelque chose à l'école à propos du réfugié.

— M. Guillemin n'était pas là, dis-je, on a eu une remplaçante.

— Ah? Est-ce que tu sais quand il va revenir?

— Non. Mais en tout cas pas avant trois semaines.

— Qui te l'a dit? dit mon oncle.

Je sens que mon ramequin ne veut plus passer :

— C'est M. Guillemin qui nous l'a dit avant de partir.

Ça n'est pas vrai, bien sûr, c'est François qui l'a dit hier soir en lisant la lettre que M. Guillemin a laissée pour lui à la Chaumine. Je me demande si mon oncle, en faisant ses équations, va s'apercevoir que je n'ai pas dit la vérité.

— Eh bien quoi Rachel, dit-il, ça a l'air de te tracasser?

— Non, c'est pour la petite, elle va se mettre en retard avec une remplaçante, tu sais ce que c'est.

Après le repas, j'aide ma tante à faire la vaisselle. Dès que mon oncle est parti, elle me demande d'aller trouver ma mère à l'asile, à quatre heures, en revenant de l'école.

— Pour quoi faire? dis-je.

— Pour rien, dit-elle, tu lui raconteras simplement ce que tu viens de nous dire sur M. Guillemin, et aussi qu'il y a un réfugié qui habite dans sa maison. Tu n'oublieras pas, hein?

Je ne comprends pas pourquoi l'arrivée de François a l'air de déranger tout le monde au village. En tout cas, j'ai bien fait de ne pas dire que je l'ai déjà rencontré et qu'on a causé ensemble.

En revenant de l'école je m'arrête à Pré-l'Évêque, comme promis. Je veux passer par l'entrée de côté sans me faire voir, mais M. Fetz m'attrape au milieu de l'escalier. C'est le directeur de l'asile, il n'est pas méchant mais il me fait quand même un peu peur. Ma mère m'a dit à moi que c'est un albinos, mais je l'ai entendue dire à ma tante que c'est un gros cochon. Il n'est pas complètement vieux malgré qu'il a les cheveux tout blancs et les sourcils avec, et même les cils, ça fait drôle quand on le regarde. Il m'énerve parce qu'on a toujours l'impression qu'il mange quelque chose, mais c'est sa langue et forcément, il n'a jamais fini.

— Alors, tu viens voir ta maman ? dit-il en me caressant les cheveux. C'est une bonne idée, on n'a pas souvent l'occasion d'avoir de la jeunesse par ici.

Ma mère m'a dit que je devais venir à l'asile le moins souvent possible, parce que M. Fetz n'aime pas les visites. Pourtant il ne semble pas fâché de me voir aujourd'hui et je me dis qu'il lui a peut-être raconté des blagues.

— Viens avec moi, dit-il, j'ai quelque chose pour toi.

Au lieu de monter dans la tour carrée où se trouve la chambre de ma mère, on traverse la grande cour avec le pont-levis et on entre dans une partie du château que je n'ai jamais vue. Ça sent comme chez le dentiste. Les couloirs sont éclairés avec des lumières vertes et c'est si étroit qu'on doit tout le temps s'arrêter et se coller contre le mur pour laisser passer des chaises roulantes avec des petits vieux dedans. Quand deux chaises arrivent face à face, il y en a une qui doit reculer et entrer dans les toilettes pour laisser passer l'autre. Par les portes à moitié ouvertes on voit des chambres toutes petites avec, assis dans des fauteuils, des vieillards qui ont l'air d'avoir froid. Derrière les barreaux de lits, on en voit d'autres qui sont couchés avec la bouche grande ouverte.

À un moment on croise un petit vieux qui traîne ses savates sur le lino et qui a un pot de chambre attaché autour du cou avec une ficelle. Il est avec une garde-malade qui a le même uniforme que ma mère.

— Qu'est-ce qu'il y a encore ? dit M. Fetz.

La garde-malade dit qu'elle fait la tournée des chambres pour présenter à tout le monde un petit garçon malpropre qui ne veut pas tenir compte des avertissements.

— Ça va, ça va, dit M. Fetz et il me prend par la main pour m'emmener avant que je puisse voir où se trouve le petit garçon.

On arrive dans le bureau de M. Fetz et il me donne une plaque de chocolat. Il n'a pas l'air pressé et il me caresse les cheveux et surtout les oreilles en me disant qu'il n'a jamais vu une si jolie petite poupée. Il est bien gentil mais je me sens mal à l'aise malgré tout, ça m'énerve de le voir faire des bruits avec sa salive.

Il fait un drôle de saut quand on cogne à la porte, il n'est pas content qu'on vienne le déranger. C'est une grosse dame qui me regarde comme si elle avait besoin de lunettes et qu'elle avait oublié de les mettre.

— Mais c'est la petite de la Polonaise, dit-elle.

— Oui, elle est venue rendre visite à sa maman, dit M. Fetz. Vous ne l'auriez pas vue, par hasard ?

— Non, elle doit être en train de dormir, elle a la garde de nuit, comme si vous ne le saviez pas !

M. Fetz se donne un coup sur le front en disant qu'il est vraiment trop distrait.

— Ça va mal à l'infirmerie, dit la grosse dame. Il y a trois nouveaux cas depuis ce matin.

— J'accompagne la petite chez sa mère et je viens, dit M. Fetz.

On traverse la moitié du château et on arrive dans la

tour carrée par un chemin qui passe sous la terre. Quand on se trouve devant la chambre de ma mère, j'ai l'impression que M. Fetz va dire quelque chose, mais il me fait signe de frapper. Ma mère demande qui c'est et quand elle ouvre, M. Fetz s'excuse en disant qu'il ne savait pas, et ma mère se cache en vitesse derrière la porte. Elle est toute nue, elle fait toujours ça dès qu'elle arrive dans sa chambre, elle ferme à clef et ôte son uniforme, elle dit qu'elle ne peut plus supporter de l'avoir sur le dos.

Maintenant qu'on est toutes seules, elle me gronde.

— Tu ne pouvais pas me dire que Fetz était avec toi?

— Je n'ai pas eu le temps, dis-je.

Je viens de comprendre que M. Fetz a fait exprès de ne rien dire. Il devait savoir que ma mère était déshabillée et il voulait guigner un peu. Elle n'a pas autant de bois devant la maison que ma tante Rachel, mais elle est bien plus jolie. Quand elle est décoiffée, ses cheveux noirs lui descendent jusqu'au bas du derrière.

— Et d'abord, qu'est-ce que tu fais ici? dit-elle. Tu sais que les visites ne sont pas permises. Mais ça ne fait rien, je suis bien contente tout de même.

Elle me prend dans ses bras et m'embrasse en me serrant si fort qu'elle me fait mal. Mais je ne dis rien parce que quand elle est comme ça, il faut en profiter au maximum tant que ça dure. Elle est le contraire de mon oncle Perruchet, lui il m'aime égal tout le temps, tandis qu'elle, elle m'aime forcément davantage, mais ça vient par paquets. Elle ne veut pas que je l'appelle maman parce que ça la vieillit, elle aime mieux que je lui dise Halinka. Quand elle est énervée elle se met à parler en polonais, je ne comprends rien parce que moi je suis née en français.

— Dis, Halinka, c'est vrai que les hommes aiment bien les gros nichons ?

Elle me regarde comme si j'avais du noir sur la figure ou quelque chose comme ça.

— Qui c'est qui t'a dit ça ? dit-elle.

— C'est ma tante.

— Ah bon, j'aime mieux ça. N'empêche qu'on ne dit pas les nichons, c'est vulgaire. Et puis, de toute façon, ça dépend des hommes.

Ça me rassure un peu, parce qu'autrement je n'aurais aucune chance avec François, c'est sûr.

— Comment vous en êtes venues à parler de ça ? dit ma mère.

— C'est parce que mon oncle voulait me faire croire que tante Rachel faisait des économies.

Ma mère fait chauffer de l'eau dans une bouilloire électrique pour se faire du thé.

— Tu en veux une tasse ? dit-elle. Parce que je n'ai que de la saccharine.

— Ça ne fait rien, dis-je, on ne voit pas la différence.

— Tu n'es pas difficile.

La chambre est dans la partie la plus ancienne du château, là où les murs sont les plus épais. Il fait toujours trop chaud, à cause du radiateur électrique ; mais dès qu'on le ferme il fait tout de suite trop froid. Sur la commode et par terre, il y a des valises ouvertes avec toutes les affaires de ma mère. Elle ne veut pas les ranger dans l'armoire et dans les tiroirs, parce qu'elle veut être capable de partir n'importe quand, à cinq minutes d'avis. Elle est comme ma tante Rachel, elle a peur que les Allemands finissent par venir en Suisse.

— Qu'est-ce qu'il faut faire pour avoir un enfant? dis-je.

— Tu penses déjà à ces choses-là?

Je me sens gênée, pas à cause de ma question — ça fait longtemps que j'y pense — mais parce que j'ai peur qu'elle devine que je lui demande ça aujourd'hui à cause de François. Elle se lève pour aller mettre un peignoir (je ne vois pas pourquoi) et elle me dit que j'ai bien fait de lui poser cette question et qu'il faut que je continue à lui faire confiance. Elle parle comme ça pendant un bon moment et à la fin je me dis que j'aurais peut-être mieux fait de le demander à ma tante.

— Tu pourrais peut-être passer chez M. Marcoux pour qu'il te donne des graines de pois de senteur, dit ma mère, on pourrait faire une expérience qui t'aiderait à mieux comprendre.

Elle m'explique alors que des pois de senteur rouges et des pois de senteur blancs font des fois des pois de senteur roses, mais pas toujours. Je n'ose pas lui dire que ce n'est pas ça qui m'intéresse. La fille de Mme Montfavon, qui a déjà un soutien-gorge, raconte des tas de choses sur les garçons et sur tout le reste et je voudrais savoir si c'est vrai.

Heureusement ma mère laisse tomber les pois de senteur et elle me dit enfin comment le papa fait pour venir mettre une graine dans le ventre de la maman. Je pose des tas de questions pour vérifier ce que j'ai entendu à l'école et je me rends compte qu'au fond je savais déjà pas mal de choses.

— Pourquoi tu m'as dit que je n'avais pas de papa ? dis-je.

— Tu étais trop petite pour comprendre, dit ma mère.

Elle me trouve maintenant assez grande pour tout m'expliquer comment on s'y prend pour faire n'importe quel bébé, mais elle n'a pas envie de dire comment ça s'est passé pour moi. Je comprends aussi que mon papa l'a laissée tomber et je trouve ça tout à fait injuste. Au moins, quand M. Marcoux plante des graines, il s'en occupe jusqu'au bout.

Finalement, je fais la commission de ma tante à propos de M. Guillemin. Ma mère fronce les sourcils :

— C'est ennuyeux, bien sûr, dit-elle, mais je ne vois pas pourquoi Rachel se fait tant de bile. Tu es sûre qu'il n'y a pas autre chose ?

— C'est peut-être à cause du réfugié, dis-je.

— Quel réfugié ?

Je lui dis tout pour François, sauf le principal, parce que ça ne la regarde pas.

— Ah mais ça change tout, dit-elle et elle se lève pour regarder par la fenêtre, d'où on peut voir la Chaumine.

Je ne comprends plus rien. Elle connaît bien M. Guillemin et ça lui est presque égal qu'il soit parti, mais elle se fait du souci à cause du réfugié qu'elle n'a jamais vu.

— Il a dit qu'il était le neveu de Guillemin, tu en es sûre ? dit-elle. Il a l'air d'avoir quel âge ?

— Je lui donnerais facilement dix-neuf ans, dis-je.

Ma mère me regarde en souriant, puis elle redevient sérieuse et elle dit :

— Dans ce cas, je me charge de le neutraliser.

Elle va se regarder dans la glace comme si elle avait quelque chose qui lui était resté dans les dents. Moi je ne vois pas la nécessité de neutraliser François, vu qu'il n'est pas Suisse.

— Tu vas lui parler de Henri Dunant ? dis-je.

Elle n'a pas l'air de trouver que c'est une bonne idée et je me dis que c'est le temps de partir, sinon elle va bientôt avoir mal à la tête.

— Tu viendras dimanche ?

Elle répond oui, mais je ne suis pas sûre qu'elle ait entendu. De toute façon elle vient toujours le dimanche et si je lui demande, c'est seulement pour être encore plus sûre.

En sortant de la chambre, je vois M. Voëgler qui m'attend au bout du couloir. Je le connais bien, je l'ai souvent rencontré en train de se promener dans les bois de Malombré, avec une musette en osier où il met des tas d'herbes et de plantes. Quand je suis malade, il apporte à ma tante des petites enveloppes pour qu'elle fasse de la tisane avec. Une fois je suis allée acheter du bois de réglisse à la droguerie de Clos-Fontaine et j'ai vu des réclames pour les produits naturels du Docteur Voëgler. Quand je l'ai revu, je lui ai demandé si c'était lui et il m'a dit oui.

— Mais alors, pourquoi vous êtes à l'asile ?

— Parce que mes enfants s'occupent de mes affaires, dit-il.

Aujourd'hui il a l'air malade, il se tient tout courbé et tousse du sang dans son mouchoir. Il regarde par-dessus la rampe de l'escalier comme s'il avait peur que quelqu'un arrive.

— Tu te souviens de moi ? dit-il.

Sa voix est toute drôle, ça me fait de la peine.

— Oui, Monsieur.

— Dis, est-ce que tu es capable de garder un secret ? Parce que j'ai une commission à faire au village, mais je ne crois pas que je vais pouvoir y aller moi-même. Tu veux m'aider ?

— Oh oui !

Il me donne alors un petit paquet pour mon oncle Perruchet.

— Dis-lui qu'il y a un mot pour lui dedans, dit-il. C'est très important, mais il ne faut en parler à personne d'autre qu'à lui, promis ?

Je n'aurais jamais cru que M. Voëgler puisse descendre tout seul les escaliers de la cour, mais il n'a pas voulu que je l'accompagne pour l'aider, il a peur qu'on nous voie ensemble.

Ce soir j'ai donné le paquet à mon oncle. Dedans, il y a un petit flacon qui contient de la viande hachée ou quelque chose comme ça. Mon oncle lit le bout de papier avec les yeux et puis il me regarde, il regrette d'avoir ouvert le paquet devant moi. Il me demande ce que M. Voëgler m'a dit en me le donnant.

— Il voulait savoir si j'étais capable de garder un secret, dis-je.

— Qu'est-ce que tu as répondu?

— J'ai dit que oui.

— C'est bien, dit mon oncle. Comme ça tu ne diras rien à personne pour le flacon, d'accord?

— Pas même à tante Rachel?

— Non, même pas à elle. En échange, je ne dirai rien pour ce qu'il y a là-dedans…

Il sort son calepin de la poche de sa vareuse et il me regarde avec un œil fermé, et l'autre tout petit.

— Il y a quelque chose ici qui m'empêche de boucler ton équation cette semaine, dit-il. Tu sais ce que c'est, pas vrai?

Je baisse la tête.

— C'est parce que j'ai causé avec le réfugié?

— C'est effectivement une des choses dont on parle à la page 14. Mais qu'est-ce que je vois à la page 15?

J'essaye de deviner et je tombe juste. Je vois qu'il sait déjà presque tout grâce à ses théories et je suis contente de pouvoir parler de François avec quelqu'un, surtout que je suis maintenant sûre qu'il ne dira rien de son côté, à cause de la petite bouteille de M. Voëgler.

CHAPITRE IV

J'ai attendu que ce soit mon jour de chiquelette*
pour aller rendre visite à François, comme ça pendant
tout le temps que j'ai eu à attendre, j'ai pu me réjouir de
deux choses à la fois.

C'est le parrain de Max Mongenet qui est allé en
Amérique et qui lui a ramené un morceau de vraie chiquelette. Mme Montfavon vend quelque chose de res-
semblant, mais ça ne fait presque pas de fil et à la fin on

---

* À cette époque, les enfants des Courtils désignaient le « chewing
gum » sous le nom générique de chiquelette (petite chique) —
appellation vraisemblablement dérivée de la marque de commerce
« Chiclets ». Cette denrée était extrêmement rare et les enfants qui
pouvaient la consommer de façon temporaire ou permanente
étaient considérés par leurs camarades comme des privilégiés.
(Note de l'auteur.)

arrive quand même à le manger, alors que ce qui est fantastique avec la chiquelette américaine c'est qu'on n'a jamais fini. On a alors tiré au sort dans la classe pour savoir dans quel ordre on allait l'avoir et on a le droit de la garder pendant toute une journée avant de la passer au suivant.

Aujourd'hui, après l'école, on a la visite de l'infirmière qui nous explique qu'on doit se laver même entre les doigts de pied pour éviter d'avoir des champignons. Elle prend Fernand Pasche pour faire une démonstration, mais elle finit par lui donner une claque parce qu'il dit que ça le chatouille et que ça lui donne envie de faire pipi.

Il fait déjà sombre quand on sort de l'école, je ferais peut-être mieux de rentrer tout de suite à la maison. En passant devant la Chaumine je vois une lumière qui brille, au fond je pourrais juste aller dire à François que je ne viendrai pas.

Je descends le jardin et en arrivant près de la maison je vois François par la fenêtre du salon, c'est peut-être pas le bon moment pour le déranger. Il est assis à la table de travail de M. Guillemin et il regarde quelque chose qui est posé devant lui avec une drôle de grimace, on dirait qu'il a envie d'éternuer mais que ça ne veut pas venir. À la fin il regarde le plafond en fermant les yeux et il se met le poing dans la bouche comme s'il voulait se mordre.

J'ai un peu peur, je crois que je ferais mieux de partir sans me faire voir. Mais François sursaute et regarde autour de lui avec des yeux tout blancs. Tout à coup il me voit, alors il reprend son souffle et il vient ouvrir la fenêtre :

— Qu'est-ce que tu fais là ?

— C'est vous qui m'avez dit de revenir, dis-je, mais ça fait rien, je vais m'en aller.

Il a de la peine à se rappeler qu'on s'est déjà vu le jour de son arrivée, mais à la fin ça lui revient quand même et il dit :

— Ah oui, c'est toi la petite de la Polonaise qui travaille à l'asile.

Il se penche vers moi et il me prend sous les bras pour me soulever d'un seul coup et me faire entrer par la fenêtre. C'est drôlement agréable de se faire porter comme ça, ça montre que François est terriblement fort, même s'il a parfois l'air d'être en mauvaise santé.

Il s'assoit à la même place qu'avant et il me regarde comme s'il n'arrivait pas à croire que je suis là. Il sort un mouchoir pour se tamponner le front, on voit encore la marque de ses dents sur le dos de sa main. Ça saigne même un petit peu et je lui dis qu'il ferait mieux de mettre du mercurochrome s'il ne veut pas avoir des champignons, mais il ne répond pas, il regarde de nouveau devant lui sur la table où il y a un pistolet beaucoup plus gros que celui de mon oncle Perruchet.

— Vous l'avez trouvé ? dis-je.

— Hein, trouvé quoi ? Ah oui, le revolver… Non, je ne l'ai pas trouvé, il est venu là tout seul.

— Ça se peut pas, dis-je.

François m'explique que ce pistolet-là n'est pas un pistolet comme les autres. Parfois, quand on s'y attend le moins, il devient un petit peu vivant. D'abord je regarde François pour voir s'il me fait marcher, mais il n'a pas de fossette nulle part, alors je regarde le pistolet pendant un long moment avant de dire :

— Mais il ne bouge pas.

— Plus maintenant, dit François, il s'est endormi.

Il le prend tout doucement pour ne pas le réveiller et il sort un petit tiroir qui était enfilé dans le manche et qui contient toutes les cartouches. Il me demande si je veux faire quelque chose pour lui.

— Ça dépend quoi, dis-je.

— Prends ça et va l'enterrer quelque part où personne n'ira le chercher. Mais qu'est-ce que tu as dans la bouche ?

Je lui explique que c'est aujourd'hui mon tour de chiquelette, Max Mongenet me l'a donnée en arrivant à l'école à midi et je l'ai mise dans une cuillère avec du sucre et de l'alcool de menthe, parce qu'elle avait un petit peu moins de goût que la première fois. Naturellement, on mange la chiquelette en cachette et on n'en parle jamais devant les parents, ils nous défendraient sûrement de continuer. Avec François ça ne risque rien, il n'a jamais l'air de trouver qu'on fait les choses à l'envers.

De toute façon je suis contente d'avoir fait une exception pour lui quand je le vois sourire pour la première fois depuis mon arrivée. Il me dit que j'ai l'air de sortir d'un livre de contes de fées, mais il redevient sérieux et il pousse le pistolet devant moi. Je n'ose pas le prendre tout de suite et je dis :

— C'est rien que du fer, ça peut pas bouger tout seul, vous m'avez raconté une blague.

— C'était une manière de parler, dit François, je ne voulais pas t'effrayer. Tout de même, rends-moi service et va le jeter quelque part au fond d'un trou, il me fait un peu peur à moi aussi, tu comprends ?

— À peu près, dis-je, c'est pour ça que vous vous êtes mordu tout à l'heure ?

François tourne sa main et je regrette d'en avoir parlé parce que ça lui rappelle que ça lui fait mal. Il prend un grand bol d'air et il me regarde en plein dans les yeux.

— Tu sais ce que j'aimerais, Catherine ? J'aimerais pouvoir te donner certains de mes souvenirs pour que tu ailles les enterrer avec le pistolet.

— Pourquoi, c'est des mauvais souvenirs ?

— Oui, c'est quelque chose que je n'arrive pas à oublier, dit-il, j'ai beau essayer, j'y pense sans arrêt.

— C'est quoi ? dis-je.

— Je ne peux pas te le dire, je ne peux le dire à personne, c'est ça qui est terrible.

Il se prend la tête entre les mains et il tire sur ses cheveux en disant que des fois il a envie de prendre un couteau et de s'ouvrir le crâne pour aller chercher ces sales souvenirs et les arracher une fois pour toutes.

— Mais vous n'avez qu'à penser à autre chose, dis-je.

Il tape du poing sur le bureau en disant qu'il n'y arrive pas et que je n'ai rien compris. Mais tout de suite après il fait un effort pour se calmer et il m'explique qu'à l'intérieur de sa tête il y a une sorte de bête qui se promène un peu partout et qui lui brouille les idées.

— Une bête grande comme quoi ? dis-je.

— Oh je ne sais pas, je ne l'ai jamais vue, dit-il, mais ça doit ressembler à un gros cafard.

Je sais bien qu'il ne dit pas ça pour de vrai et que c'est seulement un exemple, mais je fais semblant de le croire pour ne pas lui faire de la peine.

— Vous vouliez la tuer avec ça ? dis-je en montrant le pistolet.

— Oui, je crois bien que c'est ce que j'allais faire.

— Vous auriez meilleur temps d'attendre qu'elle sorte, dis-je, autrement vous risquez de vous faire mal.

Je prends le pistolet sur la table, il est plus lourd que j'aurais cru, mais il ne me fait plus peur. François secoue la tête, il a l'air embêté :

— Tu peux me le rendre à présent, dit-il, je me sens mieux.

— Mais non, dis-je, je vais le jeter dans le puits au fond du jardin, M. Guillemin nous a dit que c'était le plus profond de toute la région.

— Si tu veux, dit-il, mais alors vas-y tout de suite.

— Est-ce que je peux ressortir par la fenêtre ?

— Pourquoi pas ? dit-il.

Il me soulève de nouveau et j'atterris dehors sur la plate-bande. À ce moment je ne sais pas ce qui arrive mais le pistolet éclate dans ma main et une flamme sort par le bout du canon. François pousse un cri et il recule si vite qu'il casse un carreau avec son coude. Ensuite il saute par la fenêtre, mais il a eu tellement peur qu'il a de la peine à rester debout. On se regarde tous les deux en pensant à la même chose, moi je suis sûre qu'il est déjà mort et lui il me serre les épaules en me demandant si je n'ai rien. Je me mets à pleurer et il fait tout ce qu'il peut pour me consoler, il dit que ce n'est pas grave et qu'il a simplement oublié d'ôter la cartouche dans la culasse, mais je vois bien qu'il est furieux contre lui.

— Dis Catherine, tu n'as rien du tout, tu es bien sûre? Moi non plus je n'ai rien, regarde, tu ne m'as pas fait mal.

Il ouvre sa veste pour me montrer qu'il est encore entier, ensuite il m'accompagne jusqu'au puits où on jette le pistolet et il dit :

— Tu ne peux pas savoir comme je suis content que tu sois venue ce soir.

Je lui réponds n'importe quoi de gentil et je pars en courant, je ne veux pas recommencer à pleurer devant lui parce qu'il va de nouveau croire que c'est le coup de pistolet qui m'a fait peur. C'est vrai que j'ai eu peur mais c'est pas pour ça que je pleure, c'est parce que j'ai avalé ma chiquelette et ça ne va pas être drôle demain en arrivant à l'école.

Ce soir, en allant aux toilettes, j'ai regardé si je la voyais passer, mais ça n'a servi à rien et je me demande si elle est restée collée quelque part dans les boyaux. Ça me rend inquiète et je décide que je ne toucherai plus jamais à un pistolet, c'est vraiment trop dangereux pour la santé.

CHAPITRE V

C'est devenu vraiment l'automne et Mlle Grémillet (c'est la remplaçante de M. Guillemin) nous fait faire une collection des plus belles feuilles qu'on peut trouver. On les colle dans un cahier et on cherche les noms pour les écrire dessous. Après, on fait des additions de feuilles et des soustractions et même de la géographie avec, à cause d'Alain Deshusses qui a apporté une feuille d'une grosse plante à sa mère et qui veut nous faire croire que ça vient d'un bananier.

Je crois que personne dans la classe n'a envie de savoir quand M. Guillemin va revenir, mais c'est le contraire pour les gens des Courtils. François vient presque tous les jours au village, et des fois il mange au café. Quand il arrive dans la salle, il rentre la tête dans les épaules comme s'il avait peur de se prendre les cheveux dans les attrape-mouches qui pendent au plafond et qui tournent sans arrêt sur eux-mêmes, j'ai jamais compris comment. Bien sûr on pose des questions à François sur son oncle, mais il répond toujours la même chose : quand il était au camp de triage, les autorités ont téléphoné à M. Guillemin qui a dit qu'il était d'accord de prendre son neveu chez lui. Mais quand François est arrivé aux Courtils, M. Guillemin n'était déjà plus là.

Une fois, M. Viret a demandé à François de lui montrer la lettre que son oncle lui a laissée. François a dit qu'il ne savait plus où il l'avait mise et M. Viret a fait : « Oui oui oui oui oui… », mais on voyait bien à son air qu'il ne le croyait pas. J'ai trouvé ça encore plus injuste, parce que je sais que François dit la vérité et que je ne peux venir l'aider sans trahir notre secret.

Quand François est parti, tout le monde a parlé de lui derrière son dos. Ce qui m'a fait plaisir c'est de voir que ma tante Rachel l'a défendu contre M. Viret et surtout contre M. Grossenbach. Elle déteste M. Grossenbach, malgré qu'il vient plusieurs fois par jour au café. C'est un ivrogne et un ébéniste pour les cercueils, et il a tellement l'accent suisse-allemand que je le comprends seulement quand il a fini de parler. À part ça je sais qu'il n'aime pas les Juifs, même s'il n'ose pas le dire devant ma tante.

M. Viret dit qu'il ne faut pas laisser entrer tous les réfugiés en Suisse, pas seulement à cause des tickets de rationnement qui deviendraient introuvables, mais aussi parce que c'est dangereux d'avoir chez nous des tas d'étrangers qui ont fait Dieu sait quoi avant de partir de chez eux. Il a demandé :

— Est-ce que vous savez combien de réfugiés ont passé la frontière, rien que la semaine dernière ?

Personne n'a su répondre, alors il a levé le doigt vers le plafond pour dire qu'il y en a plus de deux mille et qu'on ne compte pas là-dedans ceux qui vivent chez des gens qui les ont recueillis sans rien dire à la police.

Ce que je ne savais pas, c'est que c'est défendu d'entrer en Suisse sans permission. Il y en a pourtant des milliers qui rentrent malgré tout, alors je me dis que les douaniers doivent fermer les yeux *à cause de l'époque*, comme mon oncle pour les tickets de Mme Montfavon. Mais M. Viret dit que ça ne peut plus continuer comme ça et qu'il va écrire une lettre à Berne pour leur recommander de faire quelque chose, sinon les Suisses ne seront bientôt plus chez eux.

Après, M. Cassani, qui était aussi là, a dit qu'il fallait faire la différence entre les réfugiés et ceux qui voulaient devenir Suisses pour de bon. Mais au début je n'ai pas compris de quoi il parlait, je croyais qu'un naturalisé c'était quelqu'un qu'on aurait empaillé, comme on fait avec les animaux au musée.

Le fils Cramer a dit alors qu'un naturalisé, ce n'est pas la même chose qu'un Suisse avec du vrai sang dans les veines. Son cœur ne peut pas battre plus vite quand il chante *Sur nos monts...* À ce moment mon oncle a demandé quelque chose à ma tante Rachel et elle est partie derrière le comptoir. Ça tombait bien parce qu'elle était au bord d'exploser.

Plus tard, quand elle est venue me dire bonne nuit, elle m'a demandé pourquoi je pleurais, mais je n'ai pas su lui expliquer. C'était à cause de François, bien sûr, je me disais qu'il ne devait pas comprendre pourquoi on disait du mal de lui. Depuis qu'il est arrivé chez nous et qu'il habite tout seul à la Chaumine, on dirait que les gens au village ne sont plus pareils, comme si quelque chose les dérangeait.

M. Viret a dû écrire à Berne comme il l'a dit, parce qu'avant-hier il y a eu l'histoire des époux Ethrain. J'étais encore au lit et j'ai entendu mon oncle qui rentrait de sa tournée à la fraîche (c'est la première du matin, quand il fait encore nuit et que l'air est tellement froid que ça pince les trous de nez). Il a raconté à ma tante qu'il y avait eu un drame entre Ville-la-Grand et Machilly. Deux Juifs ont voulu traverser la frontière sans permission, mais ils ont été vus par les douaniers. Au lieu de se rendre, la dame a demandé à son mari de lui couper la gorge avec son rasoir, et après il s'est coupé le cou lui aussi et il est mort à l'hôpital de Monniaz.

— Il avait quarante ans et elle trente-cinq, tu te rends compte? dit mon oncle.

Ma tante s'est mise en colère et elle a dit qu'ils étaient fous. J'ai cru qu'elle parlait des douaniers, mais c'est après les deux autres qu'elle en avait.

— À quarante ans, on n'a pas le droit, disait-elle. À

mon avis ils avaient tous les deux une maladie incurable. Enfin, Juste, c'est pas des façons ! On ne s'ouvre pas la gorge simplement parce que les douaniers veulent vous arrêter, et pourquoi ? Peut-être pour une simple vérification, et même s'ils avaient été condamnés à une amende ou à quelques jours de prison, au moins ils seraient restés vivants.

Je ne sais pas pourquoi mais je pense sans arrêt à cette histoire, ça me revient sans faire exprès. Il me semble que ça se peut pas que ce soit vraiment arrivé. J'ai même dévissé le rasoir de mon oncle et j'ai regardé la lame, c'est impossible de se couper le cou avec.

Je suis descendue à Clos-Fontaine pour la campagne du *Don des métaux*. On passe dans les maisons pour récolter des ustensiles qui ne servent plus aux gens mais qui peuvent encore faire des fusils. Je me mets en retard parce que je veux gagner le concours de celui qui ramènera le plus d'ustensiles, et il fait déjà presque nuit quand je remonte aux Courtils par le raccourci dans les vignes.

Soudain j'entends les sirènes d'alerte et je commence à avoir vraiment peur. Les autres fois ce n'était pas la même chose, j'étais à la maison avec ma tante Rachel, elle est de plus en plus furieuse après les Anglais parce qu'ils passent avec leurs avions au-dessus de la Suisse et qu'à chaque fois, mon oncle doit faire une tournée supplémentaire au village pour voir si tout le monde a mis ses rideaux d'obscurcissement. D'ailleurs, comme les Anglais exagèrent, le général Guisan a parlé à la radio pour dire que le couvre-feu se fera maintenant à partir de huit heures.

Je me mets à courir de toutes mes forces, mais ça monte dur et au bout d'un moment je ne peux plus souffler.

Tout à coup je vois François qui est assis sur un petit mur de pierres et qui mange des raisins qu'on a oublié de cueillir. Il me fait des grands signes avec les bras, il est juste là au moment où j'ai besoin de lui. Comme il n'a pas l'air de vouloir bouger, je m'assieds à côté de lui.

— Il faut les laver avant, dis-je, à cause du poison qu'on a giclé dessus.

Il n'a pas dû comprendre parce qu'il continue à manger ses raisins et qu'il me dit :

— Et ta sœur, est-ce qu'elle mange du poison ?

Il a l'air content et bat la mesure avec ses jambes contre le mur.

— Est-ce que tu ne devrais pas être rentrée à cette heure-ci ? dit-il.

— Oui. Et vous, qu'est-ce que vous faites ?

— Moi ? Je regarde.

Il me montre le lac de Genève et la plaine où on voit les dernières lumières qui s'éteignent. Bientôt il y a seulement un grand trou noir devant nous, mais on peut savoir à peu près où se trouvent les villages, à cause de leurs sirènes qu'on entend plus ou moins loin.

Tout à coup, des fusées montent dans le ciel et éclatent en faisant des gros pétales.

— C'est ça, la DCA ? dis-je.

— Oui, ça m'en a tout l'air.

— Ils tirent sur des avions ?

— Pas forcément.

— Comment ça ?

— C'est un peu difficile à expliquer, dit-il.

— Allez-y quand même, dis-je. Je ne suis pas aussi bête que j'en ai l'air.

— Ça, je m'en suis aperçu.

François me dit alors que, malgré Henri Dunant, les Suisses sont pas mal amis avec les Anglais et c'est pour ça qu'ils font exprès de viser à côté des avions. Ensuite les Allemands rouspètent, mais nous on dit que c'est pas facile d'attraper des avions qui bougent tout le temps. Après, pour faire semblant, on envoie des lettres au Roi d'Angleterre pour lui dire de ne pas recommencer.

— Viens, je vais te ramener au village, dit François. On doit s'inquiéter pour toi.

Il me prend par la main et on marche ensemble. Je me sens devenir toute chaude dans la poitrine et malgré ce que ma mère m'a expliqué, je me demande si ça ne suffirait pas pour avoir un enfant.

— Dites François, si je vous demandais de me couper le cou, vous diriez quoi ?

Il a l'air surpris que je l'appelle François, il doit avoir oublié que c'est lui qui m'a dit de le faire.

— Je te dirais que je ne veux pas te faire de mal, dit-il. Pourquoi tu me demandes ça ?

— C'est à cause de ce qui est arrivé l'autre jour à Ville-la-Grand.

Il n'est pas au courant, alors je lui raconte toute l'histoire. Après, je lui demande :

— Ça se peut pas, hein ? Ils devaient être toqués pour faire une chose comme ça, forcément.

— Oui, complètement toqués, dit-il, mais comme il fait sombre je ne peux pas voir pourquoi il a une drôle de voix.

En arrivant sur la crête de Malombré on voit l'autre versant, c'est magnifique. Le soleil est couché mais pas tout à fait éteint, il y a une ligne rouge comme du feu le long du Jura et, dans la plaine, on voit briller les étangs et la Vivonne à travers la brume. Derrière nous la DCA s'est arrêtée et il n'y a plus de bruit nulle part. François regarde tout ça et je pense que c'est mieux d'attendre qu'il parle en premier. Tout à coup il dit tout bas :

— Pourquoi ?

— Pourquoi quoi ? dis-je.

— Pourquoi tout court. Regarde, Catherine, là-bas c'est la France, c'est tout près, en deux heures de marche on pourrait y être.

Il dit encore qu'aux Courtils il est en sécurité, mais il n'a qu'à traverser la Vivonne et on peut lui courir après et le mettre en prison.

— Avant de venir ici, dit-il, je pensais que la Suisse était comme une forteresse, qu'il y avait partout des soldats et des canons pour la défendre. Tu vois quelque chose, toi ?

J'ai failli lui montrer le château de Pré-l'Évêque, mais je sais bien qu'il y a des nids d'hirondelles dans les mâchicoulis et que le pont-levis ne marche plus. Et puis on a même rempli les fossés avec de la terre pour faire pousser des laitues.

À cause de François, je pense maintenant à des choses que je ne me suis jamais demandées avant. C'est vrai, qu'est-ce qui empêche les Allemands d'entrer chez nous, puisqu'il n'y a pas de murs ni de barricades tout le long de la frontière?

— Tu crois aux fantômes? dit François.

— Non, ça n'existe pas.

Il réfléchit comme s'il n'en était pas sûr et il dit qu'il se méfie de la tranquillité qui règne dans la région. Je commence à avoir un peu peur, j'ai l'impression que le silence n'est plus pareil autour de nous. Comme on n'a pas encore entendu la sirène de fin d'alerte — celle qui va en montant et en descendant — les maisons sont restées éteintes, on dirait que personne ne vit dedans.

— Tu as raison, dit François, il n'y a pas de fantômes, il n'y a encore que des vieillards.

On arrive sur la Grand'Place, ma mère sort en courant du café, elle devait guetter derrière les rideaux. J'ai oublié qu'on est samedi, c'est son soir de congé, en général elle descend à Genève avec ma tante pour aller au cinéma.

— Tu n'as rien? dit-elle en me serrant contre elle.

— Non, j'ai rencontré François juste quand l'alerte a commencé.

Elle a laissé la porte du café grande ouverte et je vois que les habits de François sont froissés et à moitié décousus. Il n'est pas peigné, je suis déçue que ma mère le voie comme ça. Elle lui dit :

— Alors c'est vous, le fameux François ?

— C'est moi.

— Vous voulez entrer une minute ? Ma sœur va vous faire quelque chose de chaud.

— Non, merci.

— Comme vous voudrez.

Avant de fermer la porte, ma mère se retourne. François est toujours à la même place et je vois qu'il est triste.

— Rachel et moi on va au cinéma ce soir, lui crie ma mère. Si le cœur vous en dit…

— Une autre fois, dit-il, j'ai eu ma ration de cinéma pour la semaine.

Dans l'arrière-salle du café, je raconte à ma tante Rachel ce qui s'est passé. Elle regarde ma mère et lui dit :

— Eh bien, tu l'as vu cette fois. Et alors ?

Ma mère avance les lèvres comme pour siffler, mais elle ne le fait pas. À la place elle dit :

— Oui, je l'ai vu. Ça m'a tout l'air d'être un coriace.

Le plus fort, c'est qu'elle a l'air presque contente et elle se met à réfléchir si profondément que ça lui fait des rides de travers, en plein milieu du front.

CHAPITRE VI

Ce matin ma tante Rachel est tout énervée parce qu'elle a mal dormi, à cause du chien des Viret.

— Ce maudit cabot n'a pas arrêté de gémir pendant toute la nuit, dit-elle en me donnant mon café au lait.

— J'ai rien entendu, dis-je.

Des fois, quand ma mère et ma tante rentrent du cinéma, elles se font un petit souper-maison, après la fermeture du café. Elles en parlent le lendemain devant moi en disant qu'elles ont mal aux cheveux, et ça me fait drôle de penser que pendant que je dors, des tas de choses continuent d'arriver.

— Tant mieux pour toi si tu n'as rien entendu, parce que c'était infernal, dit ma tante.

Elle m'explique que le chien, qui doit être malade, s'est glissé sous le parvis de l'église. Je connais la cachette, il faut ramper tout plat pour y entrer, mais une fois dedans on peut presque se tenir debout. C'est là qu'Alain Deshusses m'a montré son zizi pour la première fois, mais je n'ai presque rien vu parce qu'il faisait trop sombre et qu'il n'a pas voulu me laisser toucher.

J'ai à peine fini de manger que M. Viret entre dans le café et, par la porte ouverte, on voit qu'il y a des gens devant la fontaine, surtout des petits vieux de l'asile ; mais ça ne veut rien dire parce que dès qu'il se passe quelque chose, même n'importe quoi, ils viennent voir.

— On a réussi à le faire sortir de son trou, dit M. Viret, mais il a l'échine en miettes, il vaut mieux l'abattre tout de suite. Est-ce que Perruchet est dans les parages ?

— Il ne va pas tarder, dit ma tante, je l'attends au tram de dix heures trente.

On est jeudi, puisque j'ai congé. C'est aussi le jour où mon oncle descend en ville pour parler de ses équations et raconter à la police ce qu'il a mis dans son calepin. Il n'y a pas de vrai gendarme aux Courtils et si une fois des bandits décident de venir dans la région, c'est mon oncle qui doit leur tirer dessus.

Ma tante sert un cordial à M. Viret et elle le regarde sans rien dire, mais je sais que ça la met en boule rien que de le voir faire : dès qu'il arrive, il commence à essuyer d'abord la table et puis son verre et tout le reste.

— Un chien, c'est rien qu'une bête, dit-il, mais on en prend l'habitude. C'est surtout l'habitude qui est difficile à perdre.

La porte s'est refermée mais on entend quand même le chien qui pleure dehors. À ce moment M. Cassani arrive pour dire qu'on ne peut pas le laisser souffrir comme ça, c'est inhumain. Ma tante m'a raconté une fois que M. Cassani a perdu sa femme et son garçon dans un accident, mais ça ne l'empêche pas d'être encore gentil. Seulement, il louche tellement que je ne sais pas par où le regarder.

— Tu as raison, dit M. Viret qui a bu son verre d'un seul coup. Rachel, prêtez-moi le pistolet de Perruchet.

— Je n'ai pas le droit, dit ma tante.

Mais ils insistent en disant que si mon oncle était là, il serait d'accord. Finalement elle monte à l'appartement et elle revient en tenant le pistolet par le bout du canon, comme un rat crevé.

En sortant sur la place j'entends d'abord la voix de M. Grossenbach, on ne peut pas ne pas la reconnaître. Son atelier est dans la cave de sa maison, il a ouvert la fenêtre du soupirail et on voit juste sa tête qui sort du trottoir. Il n'est pas encore venu au café ce matin, mais ça ne l'empêche pas d'être déjà fin saoul et de crier après tout le monde.

Quand ils voient arriver le pistolet avec M. Viret au bout, les gens se mettent à reculer, sauf François qui est à genoux et observe le chien qui gratte par terre avec ses pattes de devant, sans pouvoir se relever.

Je regarde vers chez les Viret, leur maison est à cheval sur l'entrée du cimetière et la route passe dessous au beau milieu. Au premier étage il y a la chambre de

Mme Viret, mais tout le monde ici l'appelle Clothilde parce qu'elle est paralysée.

Je suis sûre qu'en ce moment elle est en train de regarder par la fenêtre, et ça doit lui faire quelque chose de voir qu'on va tuer son chien, même si c'est seulement une habitude.

François se relève et parle à M. Viret qui fait non de la tête.

— Vas-y Charlot ! crie M. Grossenbach depuis son soupirail, et descends le maudit Français par la même occasion, ah, ah !

M. Viret met le pistolet contre la tête du chien et tire. Ça fait beaucoup de bruit, mais c'est pas suffisant parce que le chien fait un bon terrible et se met à courir tout de travers, en poussant des petits cris pointus. Alors ce sale M. Grossenbach commence à rire comme un fou en disant que le pistolet était chargé à blanc, et M. Viret regarde le canon qui fume comme s'il allait se mettre à pleurer.

Tout à coup le tram arrive sur la Grand'Place, mais juste au même moment le chien veut traverser et ma tante Rachel crie de toutes ses forces mais c'est trop tard. Quand le tram recule, le chien est coupé en deux et ce coup-là chaque moitié est morte pour de bon. Les petits vieux fichent le camp à toute vitesse, mon oncle Juste descend du tram pour aller ramasser son pistolet que M. Viret a laissé tomber par terre.

Comme M. Grossenbach crie toujours, François lui demande s'il ne sort pas parce qu'il a peur de faire voir qu'il boite. Ça ne veut rien dire, vu que M. Grossenbach ne boite pas en général. N'empêche que ça lui coupe le sifflet et il crache vers François avant de rentrer la tête dans son atelier.

Je vais vers le chien, les deux morceaux sont complètement séparés, ça n'est pas appétissant mais je ne peux pas m'empêcher de regarder. Le plus dégoûtant c'est encore de voir M. Viret, il n'a pas eu le temps d'arriver jusque chez lui et il rend tout son déjeuner en se tenant contre le mur de la laiterie. À ce moment mon oncle vient me dire de ne pas rester ici et me demande si je veux faire une bonne action.

— Ça dépend quoi, dis-je.

— Va voir si tout va bien chez Mme Clothilde.

La maison de M. Viret n'est pas à lui, on la lui prête parce qu'il est employé par la Ville pour surveiller que tout se passe bien au cimetière et pour empêcher que les cortèges se mélangent, étant donné qu'il y a des fois jusqu'à trois enterrements en même temps.

En montant l'escalier je m'aperçois que François m'a suivie.

— Je peux t'accompagner ? dit-il.

— Oui. Vous verrez, elle est gentille.

Il fait toujours froid dans cette maison. En bas toutes les pièces sont vides, à part le petit bureau et le guichet pour les visiteurs. Les Viret habitent à l'étage, le parquet est tout gondolé et il y a des tas de remèdes sur la cheminée. Mme Clothilde est dans son lit parce qu'elle ne peut plus marcher, mais au plafond, près de la fenêtre, il y a une sorte de miroir qu'elle peut faire bouger avec des ficelles et qui lui permet de voir tout ce qui se passe sur la Grand'Place. On s'approche et je dis tout bas à François :

— Avec elle, on ne sait jamais si elle dort ou si elle nous écoute les yeux fermés.

Elle a une perle clouée au bas des oreilles et un bonnet de nuit en dentelles, avec des cheveux jaunes qui sortent de partout. Tout à coup elle se lève sur son oreiller et elle tend sa main à François pour qu'il l'embrasse, je n'ai jamais vu faire ça avant.

— Tu te souviens de moi ? dit-elle en essayant de sourire.

Je vois tout de suite qu'elle est de nouveau en pleine crise, à cause de ses yeux qui n'ont presque plus de couleur. Mais ce qui m'étonne le plus, c'est la réponse de François quand il dit qu'il la reconnaît et qu'il l'a déjà vue sur les routes, dans des gares et derrière des fils de fer barbelé. Ça doit être un exemple, autrement ce serait impossible puisqu'elle n'est pas sortie de sa chambre depuis des dizaines d'années.

— Moi aussi je te connais, dit-elle. Dès que je t'ai vu, je me suis dit : celui-là n'est pas comme les autres. Après, j'ai eu peur.

— Peur ? Mais pourquoi ? dit-il.

— Parce que tu es le neveu de ton oncle, tu comprends ? J'ai cru que tu venais les aider.

Je n'en reviens pas de voir François, il est assis sur

le lit et il la regarde si fort qu'il finit par avoir les yeux tout mouillés.

— Aider qui? dit-il.

Je me demandais justement la même chose, mais elle répond à côté en disant qu'il n'y a pas de temps à perdre avec les chiens écrasés.

— Oui, oui, dit François, il n'y a pas de temps à perdre, je suis bien d'accord.

— Nous sommes du même bord, toi et moi, dit-elle. Je suis une réfugiée, moi aussi. Je sais des tas de choses sur la vie aux Courtils, rien qu'à voir passer les gens dans mon plafond. Ah! François, il se passe ici des choses, des choses…

— Ainsi je ne me trompais pas, dit-il en devenant de plus en plus excité. Mais qu'est-ce qui se passe au juste? Il ne faut rien me cacher, ça fait trop mal après.

Mme Clothilde se lève sur ses coudes pour boire une gorgée de tisane et comme elle ne peut pas s'empêcher de trembler, la tasse fait un bruit de vaisselle en tapant contre ses dents.

— Alors vous ne voulez pas me le dire? dit François.

— Oh si, j'aimerais bien, dit-elle, mais je ne le sais pas moi-même, j'ai seulement des pressentiments. Par exemple je ne peux pas m'empêcher de penser qu'il y a des baignoires ici, tout comme en France.

— Pourquoi vous dites ça?

— Parce que j'ai peur qu'on finisse par s'en servir nous aussi, tu comprends?

François est tout pâle et j'ai l'impression qu'il va

éternuer, mais il ferme seulement les yeux en secouant la tête, il a déjà fait la même grimace à la Chaumine le soir où j'ai avalé ma chiquelette.

Mme Clothilde lève la main et nous dit d'écouter. Quelqu'un monte l'escalier en toussant.

— C'est Charles, dit-elle, on ferait mieux de changer de conversation. Reviens une autre fois, François Berger, on n'a pas fini de se parler de ce qui se passe aux Courtils. En attendant tu peux demander à Catherine, elle n'a pas les yeux dans sa poche, n'est-ce pas ma chérie? Tu lui montreras à ton François pourquoi il n'y a pas besoin de partir très loin pour se battre contre la guerre. Tu comprends de quoi je veux parler?

— Non, Madame, dis-je (et c'est vrai).

— Mais voyons, petite sotte, et le flacon de M. Voëgler alors? Non, tais-toi!

M. Viret vient d'entrer, il se frotte la figure avec un linge en disant qu'il nous a vus monter tout à l'heure, mais qu'il était trop malade pour nous recevoir comme il aurait fallu.

— Mais il fait un froid de caveau, dit-il, c'est ce sacré calorifère qui s'est encore étouffé. Ces messieurs de Berne en ont de bonnes avec leurs règlements, ils veulent qu'on chauffe le moins possible pour faire des économies, je vous demande un peu!

Il se met à genoux et regarde dans le fourneau en disant qu'on ne peut plus trouver de charbon nulle part et que les briquettes de tourbe ne valent rien. Sa voix sort en haut par le tuyau, on dirait celle d'un fantôme.

François regarde du côté de Mme Clothilde, mais elle fait semblant de dormir, alors on s'en va sans que M. Viret s'en aperçoive et en descendant l'escalier, on l'entend en haut qui continue de nous parler.

En sortant dehors je vois que le chien est maintenant recouvert avec des journaux, mais ça fait toute une histoire parce que personne ne veut s'occuper de l'enlever. Finalement c'est moi qui ai l'idée d'aller demander aux employés du cimetière. Depuis la fenêtre de ma chambre je les vois souvent vider des vieilles tombes et déménager ce qu'il y a dedans, alors je me dis qu'ils ont l'habitude et qu'un chien, même en morceaux, ça n'est pas pour les énerver.

Ce soir j'ai demandé à mon oncle Perruchet si je pouvais l'accompagner dans sa tournée d'obscurcissement, parce qu'il y a quelque chose qui me chiffonne. En passant devant les serres de M. Marcoux, je lui demande :

— Qu'est-ce que tu ferais si un bandit nous attaquait maintenant ?

— Il n'y a pas de bandits aux Courtils, dit-il.

— Je sais bien, mais disons qu'il y en aurait un, pour voir.

— Alors c'est une hypothèse, dit mon oncle. Eh bien, dans ce cas, je te défendrais.

— Avec quoi ? dis-je.

Il ne répond pas tout de suite et je pense que je l'ai bien attrapé, mais à la fin il dit :

— Tu vois, Cathy, c'est une question de logique. Quand il n'y a pas de bandits, il faut charger son pistolet avec des balles à blanc, tu comprends ?

— Bien sûr, c'est normal, dis-je. C'est ça une équation ?

— C'est en plein ça. Maintenant si tu mets des vraies balles dans le pistolet, qu'est-ce que ça fait ?

— C'est facile, dis-je, ça attire les bandits.

Je voudrais bien continuer à jouer, mais il se met à penser en dedans de lui et quand on arrive au café, il dit que ça lui apprendra de faire des hypothèses comme ça, rien que pour voir. En entrant, on croise M. Grossenbach et j'ai l'impression qu'il boite pour de vrai, mais c'est difficile à dire parce que, à part ça, il a de la peine à marcher tout court.

Cette nuit on a eu deux alertes et j'ai pensé à François qui est tout seul à la Chaumine. Moi je le trouve très bien comme il est, même si ses vêtements ont parfois besoin d'un coup de fer, mais je me dis que ce serait quand même une bonne idée qu'il prenne de temps en temps un bon bain avec du savon, comme ça il ne sera plus gêné la prochaine fois que Mme Clothilde lui fera des remarques avec une baignoire.

CHAPITRE VII

Ça fait passé deux semaines que M. Guillemin est parti sans rien dire et les gens commencent à parler de lui en baissant la voix. Moi je me fais du souci pour François, parce que M. Viret a dit l'autre jour qu'il n'a pas l'air catholique et qu'on aurait peut-être des surprises si on se mettait à creuser dans la cave de la Chaumine.

Heureusement ce soir François est arrivé en disant qu'il a reçu une lettre de son oncle. Tout le monde a voulu voir, mais il n'y avait rien à montrer. C'était seulement une enveloppe avec de l'argent et des tickets de rationnement. Elle était timbrée de Zürich.

— Et il n'y avait rien d'autre, pas même un petit mot ? dit M. Viret. Mais alors, comment vous savez que ça vient de lui ?

— Je le suppose, dit François, qui voudrait m'envoyer de l'argent à part lui ?

Ma tante Rachel m'a répété des centaines de fois qu'elle ne veut pas me voir le soir au café, mais dès que François arrive (je le guette depuis la fenêtre de ma chambre), je vais me cacher en haut de l'escalier et à travers les barreaux je peux voir tout ce qui se passe dans la salle. Je croyais que personne ne le savait, mais j'ai été bien attrapée : mon oncle regardait de tout près l'enveloppe de M. Guillemin et tout à coup il a levé la tête en disant :

— Catherine, apporte-moi ton cahier de calcul.

C'est ce que je fais et on compare l'écriture de l'enveloppe avec les remarques que M. Guillemin a faites dans mon cahier. Il faut dire qu'il y a beaucoup de remarques parce que je ne suis pas forte en calcul et je trouve que mon oncle est vraiment malin de s'en être rappelé.

— Ça vient de Louis, il n'y a pas de doute, dit M. Cassani et comme il louche, il est le seul à pouvoir regarder la lettre et le cahier en même temps. Mais qu'est-ce qu'il fabrique à Zürich ?

— En tout cas, il n'est pas bavard, c'est le moins qu'on puisse dire, dit M. Viret.

N'empêche, je vois que tout le monde est soulagé et qu'on ne pense plus à aller faire des trous chez François parce qu'il n'est pas catholique.

Ce matin, mon oncle Perruchet m'a donné en cachette un papier qui avait l'air d'une ordonnance pour la pharmacie et il m'a demandé si j'étais capable de le porter à M. Voëgler sans me faire voir.

— Et puis si on te pose des questions à l'asile, tu diras simplement que tu es venue voir ta mère.

— Et si je ne trouve pas M. Voëgler ?

— Dans ce cas, rapporte le papier, on cherchera un autre moyen.

Ça m'étonne qu'il me dise de faire ça, parce qu'en général il est très sévère pour les mensonges. Mais il m'a expliqué que, des fois, il faut raconter un petit mensonge pour éviter d'en dire un plus gros. Comme il devenait embrouillé je lui ai dit :

— T'en fais pas, j'ai tout compris, c'est comme un vaccin, on prend des microbes pour pas attraper la maladie.

Il m'a regardée comme s'il regrettait que ma tante ne soit pas là et il m'a dit que je promettais. Ça m'a fait plaisir, c'est Mlle Grémillet qui nous a raconté à l'école l'histoire du pasteur qui a inventé la vaccination pour un petit garçon qui avait été mordu par la rage.

Mais à partir de ce moment, je n'ai plus su quoi faire, c'est la première fois que ça m'arrive. Quand j'y pense, j'ai de la peine à avaler. Il faut dire que l'autre jour, en sortant de chez Mme Clothilde, François m'a posé des questions sur la petite bouteille de M. Voëgler. Comme il savait déjà la moitié du secret, c'était moins grave de lui raconter le reste. Mais après il m'a fait jurer de tout lui dire à mesure que ça arriverait. Seulement j'ai aussi promis à mon oncle de rien dire à personne, ça fait que je n'arrive pas à décider si j'ai le droit de montrer le papier de la pharmacie à François avant de le porter à

M. Voëgler. Ça me travaille tellement que Mlle Grémillet m'ôte deux points de conduite parce que je ne suis pas capable de répéter sa dernière phrase.

À la fin, je me dis que François doit être aussi vacciné contre les gros mensonges et je vais à la Chaumine en sortant de l'école. En arrivant, je vois que la porte est à moitié ouverte et j'entre sans rien dire, pour faire une surprise à François. Mais je manque mon coup parce que c'est M. Fetz qui est au salon en train de regarder dans une armoire. Il tombe presque en arrière tellement il a peur en me voyant, ensuite il essaie de respirer et de parler en même temps, mais ça ne va pas ensemble. Finalement il dit qu'il est venu voir François mais qu'il ne l'a pas trouvé.

— Vous avez cru qu'il s'était caché dans l'armoire? dis-je.

M. Fetz a l'air embêté et je commence à me demander s'il n'est pas en train de fouiller dans des affaires qui ne sont pas à lui.

— Mais non, dit-il, je suis venu chercher quelque chose chez mon vieil ami Guillemin.

— Qu'est-ce que c'est?

— Tu es bien curieuse, mais ça ne fait rien, je vais te le dire quand même. Tu vois, ta maman n'a pas de diplôme pour être garde-malade, c'est bien ennuyeux.

— Ah oui, pourquoi?

— Parce qu'on n'a pas le droit d'employer à l'asile des gens qui n'ont pas leur diplôme. Mais comme ta maman a besoin de travailler pour gagner sa vie, j'ai demandé à M. Guillemin s'il pouvait me trouver un diplôme pour elle.

— Un diplôme d'occasion ?

— Exactement. Malheureusement, il a oublié de me le donner avant de partir et quand les gens vont savoir que je suis venu le chercher aujourd'hui et que je ne l'ai pas trouvé, ils vont m'obliger à mettre ta maman à la porte.

Je me sens toute mal et je dois faire un effort pour ne pas commencer à pleurer.

— Mais pourquoi les gens vont le savoir ? dis-je.

— Parce que tu vas en parler, évidemment, dit M. Fetz. Les petites filles ne savent pas tenir leur langue, tout le monde sait ça.

— C'est même pas vrai, dis-je, la preuve c'est que j'ai rien dit pour le petit flacon.

— Quel flacon ? dit M. Fetz.

— Oh rien, une histoire avec mon oncle. (Je ne sais plus où regarder, je ne me suis jamais trouvée aussi bête.) Si vous voulez, je peux vous aider à le chercher.

— À chercher quoi ? dit-il.

— Mais… le diplôme.

M. Fetz trouve que c'est une bonne idée et me dit d'aller regarder dans la chambre à coucher, pendant qu'il continue de chercher dans le salon.

Dans la chambre le lit n'est pas fait et il y a du désordre partout. Contre les murs, la tapisserie est à moitié décollée et j'ai une envie terrible de tirer sur les morceaux qui lèvent, mais ça ne se fait pas. Je ne vois pas pourquoi M. Guillemin garderait le diplôme de ma mère dans sa chambre, mais j'ouvre quand même tous les tiroirs. Dans la table de nuit il y a un paquet de petits journaux, mais je devine tout de suite qu'ils ne sont pas pour moi.

J'en prends un et dedans je vois une dame sur une table qui se tient les jambes en l'air comme une grenouille et un homme qui est tout nu lui aussi et qui lui met des graines dans le ventre. Ma mère a eu beau m'expliquer, je ne pensais pas que ça se faisait comme ça. La dame a l'air d'avoir mal mais je comprends pourquoi en regardant sur les autres pages, il y a des photos de zizis vraiment exagérés, celui d'Alain Deshusses est rien à côté.

Je trouve ça dégoûtant, mais c'est comme pour le chien des Viret après l'accident, je ne peux pas m'empêcher de regarder.

— Eh bien, qu'est-ce que tu fais là ? dit M. Fetz.

Je ne l'ai pas entendu arriver, j'essaye de remettre les journaux à leur place, mais il s'assied sur le lit et me prend sur ses genoux. Je n'aime pas ça, en tout cas il peut être sûr que je vais me défendre s'il fait des mauvaises manières. Mais il veut seulement me gronder et il commence à tourner toutes les pages d'un des petits journaux en disant que c'est une honte.

— Regarde ça, est-ce que c'est des images pour une petite jeune fille, hein ?

Je remarque que, à part ses sourcils, il a la figure moins albinos que d'habitude. Ses cheveux sont collés avec une brillantine qui sent le patchouli, jamais mon oncle Perruchet ne se mettrait ça sur la tête. Je dois peser trop lourd sur ses genoux parce qu'il me change sans arrêt de place, et tout à coup il se met à trembler et à manger sa langue comme je l'ai jamais vu faire avant.

— Il y a quelqu'un qui arrive, dis-je, ça a l'air d'être François.

— Hein! Où ça? dit M. Fetz.

— Mais là-bas!

Par la fenêtre on voit quelqu'un qui descend de la route, je ne suis pas sûre si c'est François parce qu'il a une grosse écharpe rouge, et aussi parce que les vitres de la chambre à coucher n'ont pas été lavées depuis long-temps.

— Tu vois ce que tu as fait, c'est du propre! dit M. Fetz en regardant partout autour de lui. Et naturelle-ment tu n'as pas trouvé ce fameux diplôme.

— Non Monsieur, dis-je. (J'ai peur qu'il se mette à me donner des gifles.)

— Alors tu ferais mieux de dire à personne que tu m'as vu ici cet après-midi, sinon ta maman devra se chercher un autre travail.

M. Fetz n'attend pas que je réponde et il part par la cuisine. Il a bien calculé son coup parce que, presque tout de suite après, François entre par la porte de devant.

— Oh, mais c'est ma petite Catherine! dit-il. J'étais sûr qu'il y avait quelqu'un dans la maison, mais je ne savais pas que c'était toi.

— Comment vous faites ?

— Je ne sais pas, ça vient comme ça. Tu te rappelles l'autre jour quand je t'ai accompagnée chez Mme Clotilde ? Eh bien, ce n'était pas par hasard.

— Qu'est-ce que c'était ?

— J'avais deviné qu'elle voulait me parler, ce sont des choses qui ne s'expliquent pas.

Malgré tout je crois que François ne peut pas savoir comme je suis contente de le voir arriver à la Chaumine. Je sais maintenant pourquoi ma mère me défend d'aller la trouver à l'asile. Elle dit que c'est parce que M. Fetz n'aime pas les visites, mais en réalité c'est plutôt parce qu'elle a peur que je me fasse tripoter.

— Tu voulais me voir ? dit François.

— Oui, mon oncle veut que j'aille trouver M. Voëgler à l'asile pour lui donner ça.

François prend le papier qui a l'air d'une ordonnance et il va au salon pour mettre des lunettes. Je ne l'ai jamais vu avec, ça ne lui va pas du tout. Il lit le papier à toute vitesse et il dit que maintenant il comprend tout et que c'est absolument écœurant.

— Catherine, il faut que je rencontre ce M. Voëgler le plus vite possible.

— On peut y aller ensemble.

— Non, surtout pas. Quand tu le verras, dis-lui qui je suis et raconte-lui ce qui s'est passé l'autre jour sur la Grand'Place avec le chien des Viret.

Mais François se rend compte que je n'y suis pas et il pince son nez pour réfléchir. Après, il me regarde profond et je comprends qu'il vient de décider de me dire le reste. Tout de même, je suis surprise de l'entendre parler de M. Grossenbach.

— Je sais maintenant pourquoi il boite, dit-il. Il a été mordu à la jambe.

— Par qui? dis-je.

François se met à rire parce que ma question est idiote, mais ensuite il dit que je suis son rayon de soleil et ça, ça me fait terriblement plaisir.

— Par le chien de M. Viret, pardi! dit-il.

— Mais pourquoi?

Cette fois ma question le met en colère, mais heureusement ce n'est pas contre moi.

— Parce qu'un chien c'est aussi de la viande, dit-il. C'est même ton oncle qui m'a mis sur la piste en me disant que depuis plusieurs mois, des tas de chiens ont disparu dans la région.

— C'est M. Grossenbach qui les a mangés? dis-je en ayant presque envie de rire.

— C'est ce que je pensais au début, dit François, mais je me suis trompé, il les fait manger par d'autres.

— Mais par qui?

— Par les vieillards de Pré-l'Évêque, dit-il en secouant le papier que je dois donner à M. Voëgler.

François n'est pas sûr de tout, mais il croit que la bonne nourriture de l'asile est remplacée par des choses plus mauvaises qui rendent les petits vieux malades.

— Évidemment quelqu'un fait du marché noir dans cette affaire, dit-il. Tu sais ce que c'est le marché noir?

— Oui, ça veut dire qu'on vend la bonne viande en cachette pendant la nuit, dis-je. Mais mon oncle va arrêter ça.

— Ah oui, il te l'a dit ?

— Non, mais il a aussi lu le papier.

— Tu as peut-être raison, mais en attendant c'est Voëgler que je veux voir. Dis-lui de me donner rendez-vous quelque part, n'importe quand.

François me raccompagne jusqu'à la barrière du jardin, mais c'est pour voir s'il y a quelque chose dans la boîte aux lettres.

— Tu sais que je n'ai jamais vu mon oncle Guillemin ? dit-il. Enfin c'est une façon de parler, il est venu en France quand j'avais cinq ou six ans, mais ça ne compte pas, je ne me souviens même pas de quoi il avait l'air. Maintenant, à force de vivre chez lui, je commence à me faire une idée. Ça doit être un drôle de numéro, non ?

Je ne sais pas quoi répondre, je suis gênée de penser que François a regardé lui aussi dans la table de nuit. Mais ce n'est pas de ça qu'il veut parler.

— J'ai trouvé dans la cave une malle pleine de souliers, dit-il. Il y en a au moins trente ou quarante paires et ils sont tous encore bons.

— Ma tante Rachel en a aussi beaucoup, dis-je.

— Oui, mais ce qui m'intrigue, c'est qu'il y en a de toutes les pointures. Je veux bien croire que M. Guillemin change souvent de chaussures, mais il ne change tout de même pas de pieds.

François dit encore qu'il se passe des tas de choses

bizarres autour de lui. Par exemple, il a trouvé hier devant la porte d'entrée un paquet écrit à son nom. Dedans il y avait une écharpe en laine, celle qu'il porte maintenant autour du cou. C'est un cadeau, mais il ne sait même pas de qui ça vient.

— Vous pouvez maintenant ôter vos lunettes, dis-je.

— Tu ne les aimes pas ?

— Non, ça vous donne l'air encore plus vieux.

— Ah bon ! Et ça te déplaît ?

— Oui, forcément. Plus vous êtes vieux et moins on ira ensemble.

François aspire un grand coup en disant qu'il voit.

— Tu n'as pas de papa ? dit-il.

— J'en ai un, mais il a laissé ma mère.

Je suis inquiète tout à coup à cause de sa question, parce que ça se peut pas d'avoir seulement une maman, il doit y avoir aussi un papa, au moins au début. François s'imagine peut-être que je crois encore qu'on commande les bébés par la poste, alors je lui dis :

— Je sais tout, vous savez, c'est ma mère qui m'a expliqué. Je ne peux pas encore avoir d'enfant parce que je n'ai pas de soutien-gorge, mais on n'est pas pressé, pas vrai ?

Ça c'est ce que mon oncle dit à ma tante Rachel en lui faisant un clin d'œil. Moi je sais seulement faire un clin avec les deux yeux, parce que quand j'essaye avec un seul, l'autre œil vient en même temps.

— Tu sais quoi ? dit François.

— Non, quoi ?

— Je me sens parfois mal à l'aise avec toi.

— Qu'est-ce que j'ai fait ?

— Rien. Seulement tu as l'air d'être encore une petite fille par certains côtés, et en même temps j'ai l'impression que des fois tu raisonnes comme une adulte.

— C'est mal ?

— Non, mais c'est un peu effrayant. Je me demande ce que tu penseras de moi plus tard.

Avant de partir, François m'embrasse sur la joue alors que Marie-Claude Montfavon dit que les vrais amoureux s'embrassent sur la bouche et doivent se toucher avec la langue pour que ça compte. Mais c'est quand même un début, et de toute façon je n'ai encore jamais été le rayon de soleil de personne d'autre.

CHAPITRE VIII

Quand mon oncle m'a demandé si j'avais donné le papier de la pharmacie à M. Voëgler, j'ai répondu oui parce que je ne voulais pas dire qu'à la place j'avais été le montrer à François, mais pour ne pas faire durer le mensonge j'ai décidé d'aller à l'asile des vieillards en sortant de l'école.

J'ai surtout peur de rencontrer M. Fetz et je me cache chaque fois que je vois quelqu'un arriver. Ce n'est pas difficile, je n'ai jamais vu un endroit comme l'asile où il y a autant de bonnes cachettes. Dans l'ancien temps les gens construisaient tellement solide que ça faisait des tas de coins partout.

Sans savoir comment j'arrive devant la porte de la salle à manger. C'est au sous-sol, les fenêtres sont si près du plafond que la lumière doit se courber pour rentrer. Tout le monde est à table et pourtant il est seulement cinq heures de l'après-midi, je trouve ça vraiment trop tôt pour souper.

Aux Courtils, je vois tous les jours des petits vieux de l'asile en train d'aller nulle part, ils marchent forcément sans se presser et comme ils ne sont jamais plus de deux ou trois à la fois, ça me fait quelque chose de les voir tous ensemble d'un seul coup. Ils sont au moins plusieurs centaines dans la salle à manger et personne ne parle, mais ça ne veut pas dire qu'il y a du silence : on entend les bruits qu'ils font avec leur bouche et avec leur cuillère et même, de temps en temps, il y a quelqu'un qui s'étrangle. C'est normal parce que les tables sont trop basses et que les petits vieux doivent se pencher pour manger à toute vitesse. Il y en a un qui tremble tellement qu'il doit se tenir le poignet avec l'autre main pour que sa cuillère arrive quand même à moitié pleine jusqu'en haut. Des fois un petit vieux fait une grosse saleté et une dame en blanc arrive tout de suite avec un panier pour mettre de la sciure par terre.

Comme c'est impossible de chercher M. Voëgler au milieu de tous ces gens, je décide d'aller demander à ma mère si elle sait où il se trouve. Dans le couloir souterrain qui mène à la tour carrée, il y a des petits chariots avec des grosses casseroles brillantes qui fument. C'est sûrement le souper pour les vieux qui mangent dans leur chambre et je lève un des couvercles pour voir s'il n'y a pas des morceaux de chien. Mais c'est impossible de savoir parce que c'est de la viande hachée avec du chou et des pommes de terre.

J'ai préparé une excuse pour dire à ma mère, étant donné qu'elle va sûrement me demander pourquoi je veux voir M. Voëgler. Mais je n'ai pas besoin de me servir de mon histoire de tisane, parce qu'elle n'est pas dans sa chambre. À la place, je vois sur le bord de la fenêtre une pelote de laine rouge et deux aiguilles à tricoter plantées dedans. Alors je pars de l'asile en cathy-mimi, je suis toute contente parce que je sais maintenant que si ma mère apprend que François et moi on s'aime, elle n'osera rien dire contre.

Aujourd'hui on est dimanche et François est venu manger au café. Ma mère me dit d'aller le chercher pour l'inviter à prendre le dessert avec nous dans la salle du fond.

Je le trouve assis près de la fenêtre, il a l'air fatigué et regarde tourner un des attrape-mouches au plafond. Il me dit qu'il accepte l'invitation, et comme il a fini sa salade je reste debout à côté de lui en me demandant ce qu'il attend pour venir. Je veux dire quelque chose mais il me fait signe de me taire et je comprends alors qu'il est en train d'écouter tout ce qui se dit à la table à côté.

C'est M. Cassani et le fils Cramer qui discutent avec M. Viret sur l'affaire des gens qu'on a condamnés à mort parce qu'ils ont dit des secrets militaires aux Allemands. C'est la première fois que ça arrive en Suisse, avant on les mettait en prison, mais comme c'est la guerre on a maintenant le droit de les fusiller. M. Cassani n'est pas d'accord, il dit que la vie humaine est sacrée, mais

M. Viret lui récite des petits bouts de Bible pour dire le contraire.

À la fin je demande à François si c'est vrai que les gens qu'on va tuer ont le droit de boire un grand verre de cognac gratis juste avant de mourir, mais il ne répond pas. C'est M. Grossenbach qui a raconté ça hier soir, c'est sûrement une blague parce que ce serait idiot de donner quelque chose à boire à quelqu'un juste avant de lui tirer des balles dessus et de lui faire des trous dans le ventre.

Tout à coup François me montre l'attrape-mouches en disant :

— Une mouche s'est fait prendre tout à l'heure, d'abord c'était seulement les pattes mais plus elle s'est débattue et plus elle s'est prise dans la glu. Je me demande combien de temps elle va mettre pour mourir.

Puis il baisse la voix et il me demande si j'ai été à l'asile des vieillards depuis la dernière fois qu'on s'est vu.

— Oui, mais je n'ai pas pu trouver M. Voëgler, dis-je, il y avait trop de monde.

— Alors il ne sait pas encore que je veux le rencontrer, dit François, c'est trop bête ! Je vais me débrouiller pour avoir le numéro de sa chambre, on ne peut plus attendre comme ça sans rien faire. Et le bout de papier que tu devais lui donner, qu'est-ce que tu en as fait ?

— Je l'ai toujours, dis-je, je le garde dans ma poche, c'est moins risqué.

— Ah bon, si tu crois ! Tu m'as bien dit que ton oncle l'avait lu avant de te le donner ?

— Oui.

— Il n'est pas vite sur la gâchette, dit François.

C'est une expression que j'ai jamais entendue, mais si ça veut dire que mon oncle n'est pas pressé de faire quelque chose pour empêcher les petits vieux de manger de la viande de chien, alors je suis tout à fait d'accord avec.

François finit son verre de vin ct on va dans la salle du fond. Ma mère s'est arrangée pendant ce temps, elle s'est fait les yeux et a descendu ses cheveux, elle est drôlement jolie et mon oncle ferait mieux de la regarder au lieu de souffler la fumée de sa pipe vers le plafond.

— Oh François, quelle bonne surprise ! dit ma mère comme si elle avait oublié que c'est elle qui m'a dit d'aller le chercher.

Après le dessert on prend le café avec de la williamine, mon oncle va chiper un morceau de vrai sucre dans le buffet pour me faire un canard, mais je manque de m'étrangler tellement c'est fort. Ma tante Rachel vient de temps en temps faire un bout de causette avec nous et quand elle repart, elle passe derrière François et regarde ma mère en lui posant des questions avec les sourcils.

Malgré que je suis là, ma mère se met à parler de la guerre. Elle est furieuse après les Allemands qui n'ont pas tenu parole et qui sont entrés dans la partie de la France qui n'est pas encore occupée. Le maréchal Pétain a protesté mais ce sale Hitler s'en fiche comme de sa première chemise. En tout cas on ne peut plus téléphoner en Haute-Savoie et, à la gare Cornavin, on dit aux voyageurs qui veulent quitter la Suisse qu'on ne peut pas leur promettre de les laisser rentrer. D'ailleurs, à la douane de Moillesullaz, c'est à présent des officiers SS qui regardent les passeports.

François écoute ma mère en soupirant, il a l'air de s'en ficher un peu lui aussi, ou alors il n'a pas envie d'en parler. Il veut plutôt savoir quel genre de travail ma mère fait à l'asile et comment ça se passe là-bas en général.

Tout à coup ma mère se met en colère et dit qu'elle en a assez d'être l'esclave de ces petits vieux qui n'en finissent pas de mourir.

— Vous savez quel est l'âge d'admission à l'asile? dit-elle. Soixante-dix ans! À cet âge-là il n'y a plus que les petites choses qui comptent. On ne peut pas s'imaginer à quel point ces vieux peuvent être maniaques et dégoûtants. Je les déteste!

— Halinka, tu exagères! dit mon oncle.

— Pourquoi vous ne les supprimez pas? dit François. Ils sont sans défense, ça ne serait pas très difficile.

Il dit ça pour rire, forcément, même s'il a l'air triste et un peu fâché.

— Oh non, ça ne serait pas difficile, dit ma mère, il suffirait d'un petit incendie bien placé. Des fois, j'y pense.

Quand elle est énervée elle promet de faire des tas de choses comme ça, mais ça ne compte pas. Seulement François n'est pas au courant et comme j'ai peur qu'il pense du mal d'elle, je demande la permission de lui dire un secret à l'oreille.

— Ça ne se fait pas, dit ma tante Rachel.

— Vas-y quand même, dit François, c'est dimanche, on peut faire une exception.

Je mets mes deux mains autour de son oreille pour pas qu'on entende, et quand j'ai fini il dit :

— Recommence un peu plus lentement, j'ai rien compris.

Je lui redis tout bas que je sais qui a tricoté son écharpe rouge.

— Ah oui, c'est qui ?

— C'est justement ma mère, dis-je.

— C'est pas bientôt fini ces messes basses ? dit ma mère comme si elle devinait qu'on parle d'elle.

François ne demande rien d'autre mais je vois qu'il est drôlement étonné. Je voudrais bien lui dire que moi je l'ai aimé avant ma mère et qu'il n'est pas malin de ne pas s'en être encore aperçu. Finalement j'ai une idée et je lui demande s'il veut savoir combien il a de bonnes amies. Il répond oui, malgré qu'il aimerait mieux qu'on parle d'autre chose, et ma mère aussi. Quant à mon oncle Perruchet, j'avais l'impression qu'il dormait à moitié, mais il a l'air tout à coup très intéressé de savoir comment on s'y prend pour compter ses amoureux.

— C'est facile, dis-je, chaque fois qu'un doigt craque on en a un de plus.

Ma tante Rachel nous quitte en disant qu'elle va voir au café si on a besoin d'elle, mais c'est surtout parce qu'elle ne peut pas supporter le bruit que ça fait. Alors je tire sur mes doigts l'un après l'autre en disant :

Cric et crac
Vivent les filles
Le pouce craque
Bonne amie

Cric et crac
Bonne amie
L'index craque
Je me marie

Cric et crac
Épousailles
L'majeur craque
La marmaille

Cric et crac
L'annulaire craque
Les enfants
Ont mal aux dents

Bric et brac
L'glinglin craque
Coup de trique
Tête à claque!

Bien sûr je m'arrange pour pas tirer trop fort sur mes doigts, sauf une fois, parce que je ne veux pas que François s'imagine qu'il y a quelqu'un d'autre dans mon cœur à part lui. De toute façon ça ne veut rien dire, et la preuve c'est que François fait craquer chacun de ses dix doigts, c'est impossible que ça soit vrai.

Comme il se lève pour partir, ma mère lui demande s'il va venir lundi soir à la réunion de Mme Clothilde.

— Première nouvelle, dit François. Qu'est-ce que c'est que cette réunion? On ne m'a pas invité.

— Ça ne se présente pas comme ça, dit ma tante Rachel qui est revenue, je croyais que vous étiez au courant.

Elle lui explique que chaque fois que c'est la pleine lune, Mme Clothilde se fait descendre au rez-de-chaussée de sa maison et que là, elle dit ce qui va se passer dans l'avenir en regardant dans une boule de cristal. Tous ceux qui veulent peuvent venir, à part les enfants évidemment, vu que ça ne commence pas avant dix heures du soir. Des fois la réunion est repoussée d'un ou deux jours à cause de la pluie ou des nuages, parce qu'il faut absolument que la lune brille sans arrêt pour que la magie de Mme Clothilde puisse marcher comme il faut.

— Tout ça c'est des histoires de bonnes femmes, dit mon oncle, mais si vous voulez rire un bon coup, ça en vaut la peine.

Quand mon oncle veut faire enrager ma tante Rachel, il ne manque jamais son coup.

— Tu peux bien parler, dit-elle, n'empêche que chaque fois que tu es venu, tu n'as pas arrêté d'écrire dans ton calepin tout ce que Mme Clothilde disait.

C'est bien répondu. Ma tante demande de nouveau à François s'il va être là demain soir.

— Pourquoi pas ? dit-il.

— Alors… c'est oui ? dit ma tante.

Je me demande pourquoi elle insiste tellement et je regarde du côté de mon oncle pour savoir la figure qu'il fait, mais il souffle de nouveau la fumée de sa pipe au plafond.

— Il vous faut une réponse tout de suite ? dit François. Dans ce cas j'accepte, mais à une condition : c'est que Catherine soit là elle aussi.

Tout le monde rit en croyant que c'est une farce, mais il insiste et quand ma tante dit que ce n'est pas possible, il secoue la tête en disant : « Alors, tant pis, je n'irai pas. » Moi je suis bien embêtée, je sens que ma mère me regarde mais je fais semblant de rien. D'ailleurs je ne sais même pas pourquoi François demande une chose pareille.

— C'est ridicule, dit ma mère qui commence à s'énerver, mais si vous y tenez tant que ça… Catherine se couchera à sept heures et on la réveillera juste avant de partir.

Ma tante ne dit rien mais elle a l'air plutôt d'accord. Moi je suis contente bien sûr, mais je serais encore plus contente si je savais pourquoi elles ont dit oui à François.

CHAPITRE IX

Ce soir j'ai eu de la peine à m'endormir, mais j'en ai encore davantage à me réveiller au milieu de la nuit. Avant d'aller au lit j'ai regardé dehors pour savoir si l'invitation chez Mme Clothilde allait marcher comme prévu, heureusement le ciel était complètement découvert et la lune venait juste de sortir de la montagne, c'était de toute beauté.

Quand je me réveille, je suis en train de traverser la Grand'Place. Mon oncle Perruchet me porte dans ses bras, je lui demande quelle heure il est, mais il ne comprend pas parce que j'ai la bouche encore pleine de sommeil.

— Dis, Cathy, j'espère bien que tu ne vas pas te laisser impressionner par toute cette comédie, dit-il. À présent ne fais pas de bruit, on va essayer d'entrer sans se faire voir.

Les grilles du cimetière sont fermées, mais on passe par une petite porte de côté.

— Tu as peur? dit mon oncle.

— Pas du tout, dis-je, c'est rien que des morts.

Mais je suis bien contente quand même d'arriver dans la maison des Viret, parce que même avec mon oncle je n'oserais jamais avancer dans l'allée qui mène au crématoire.

M. et Mme Viret habitent au premier étage mais, pour empêcher que les gens aillent faire de la poussière chez eux, quelqu'un a préparé la salle du bas. En général elle est vide, mais ce soir on a fait un grand carré avec des bancs et on a mis un tabouret au milieu avec trois bougies allumées. Il y a aussi des draps contre les fenêtres à cause de l'obscurcissement.

Je vois tout de suite que ce n'est pas une petite invitation comme j'avais cru, il y a au moins autant de monde que le samedi soir au café. Mme Clothilde arrive presque en même temps que nous, elle est vraiment folle parce qu'au lieu de se faire porter en bas et de s'asseoir dans un fauteuil, elle est restée dans son lit et ça a pris quatre hommes pour la descendre dans l'escalier. Finalement ils posent le lit au milieu de la salle, près du tabouret.

M. Cassani est juste à côté de nous et il me regarde en louchant comme d'habitude, mais en plus de ça il a l'air vraiment étonné, il doit se demander ce que je fabrique ici.

À ce moment quelqu'un dit aux autres de se taire et

Mme Clothilde s'assied sur ses coudes pour souffler sur les bougies, elle est si blanche que je me demande si elle va avoir la force de les éteindre. Elle réussit du premier coup, mais on ne reste pas dans le noir longtemps parce que les draps sont ôtés des fenêtres et que la lune entre en plein sur le lit.

Mme Clothilde sort de sous les couvertures une grosse boule en verre qui se met à briller. Elle la caresse sans la regarder, elle respire fort par le nez et tout à coup elle parle avec une voix toute pointue pour dire qu'elle est prête.

C'est la première fois de ma vie que je vis quelque chose d'aussi important et j'ai seulement envie de regarder sans rien dire. C'est grâce à François si je suis là et je sens que mon amour pour lui continue de grandir, je n'aurais jamais cru qu'il y avait encore de la place.

Mon oncle Perruchet commence à être fatigué de me porter et il me fait asseoir sur le dessus de la cheminée en marbre, ça me gèle le derrière mais au moins je peux voir tout le monde. Les gens se mettent alors à poser des questions compliquées pour savoir si Berne va être obligé d'augmenter le rationnement du pain et du lait, à cause des Américains qui n'ont pas l'air de se décider à faire la guerre contre Hitler. Quelqu'un demande si c'est vrai qu'on fabrique en Suisse des fourneaux pour brûler les gens vivants et qu'on les vend aux Allemands, et Mme Montfavon qui est un petit peu enceinte veut savoir si les soldats auront une longue permission pour Noël. À chaque fois

Mme Clothilde regarde dans sa boule avant de répondre avec sa voix qui grince.

Malgré l'obscurité je peux reconnaître dans la pièce des gens des Courtils et même de Clos-Fontaine, ça me fait drôle parce qu'ils ne sourient pas, pourtant ils ne sont pas tristes comme à un enterrement, je ne saurais pas expliquer l'air qu'ils ont, mais ce n'est pas le même qu'en plein jour.

Je sens qu'on me prend par la jambe, c'est François.

— Ta maman n'est pas là ? dit-il tout bas.

— Non, dit mon oncle, elle est de garde à l'asile.

François change de côté, il ne veut pas que mon oncle réponde à ma place.

— Et alors, Catherine ? me dit-il tout près de l'oreille. Qu'est-ce que tu penses de tout ça ?

— Je ne sais pas, dis-je, pourquoi est-ce qu'ils sont comme ça ?

— Qui ça ?

— Mais les gens, ici.

François regarde dans la salle un moment avant de dire qu'ils ont peur.

— Ils ont peur de quoi ?

— De la guerre.

— Mais on n'a pas la guerre, dis-je.

Au même moment Mme Clothilde tourne la tête vers nous, pourtant elle n'a pas l'air de nous voir, c'est comme si sa boule en verre l'avait rendue aveugle. Elle dit :

— François, tu es là ?

François ne répond pas, il s'appuie contre la cheminée et m'écrase un peu la jambe, mais je ne voudrais sûrement pas qu'il change de place.

— François, réponds-moi! dit de nouveau Mme Clothilde.

— Oui, je suis là, dit-il.

— Je le savais! Et bien c'est le moment, dis-leur ce que tu penses.

Tout le monde nous regarde maintenant, on entend des chuchotements, mais comme il fait sombre on ne peut pas comprendre tout ce qui se dit.

— Je n'ai pas grand-chose à dire, dit François.

Mais c'est pas vrai parce qu'il parle pendant au moins un quart d'heure sans que personne l'arrête. Il dit que les journaux en Suisse n'ont pas la liberté de raconter tout ce qui se passe dans les autres pays et qu'on les empêche même de dire certaines choses qui se passent chez nous. Bien sûr il y a la chronique de M. Payot à la radio et François dit qu'il l'écoute tous les jours, mais il a des fois l'impression que la guerre dont on parle ici n'est pas celle qu'il a connue, c'est comme si on voulait lui faire croire que ses souvenirs à lui ne valent plus rien.

Dans un coin sombre, quelqu'un qui a la voix de M. Viret demande à François s'il croit que la Suisse peut rester encore longtemps en dehors de la guerre.

— En dehors? Mais vous êtes en plein dedans! dit François. La neutralité c'est une chose qu'on trouve dans les discours, pas dans le cœur des gens. La Suisse peut être neutre, mais vous, est-ce que vous le pouvez?

Tout ce que vous pouvez faire c'est de jouer à cache-cache avec la guerre. Vous voulez savoir ce qui se cache derrière la petite vie tranquille de Malombré ?

— Non, François, tais-toi ! dit Mme Clothilde en battant des bras. C'est pas le moment !

Moi je suis bien d'accord avec elle, si François continue à dire des choses comme ça, il va bientôt avoir tout le monde contre lui.

— On passe à présent aux consultations privées, dit ma tante Rachel.

Les gens vont s'asseoir l'un après l'autre sur le lit de Mme Clothilde et elle regarde dans leur main pour deviner leur avenir. Une fois ma tante m'a montré ma ligne de cœur et, sans rien dire, j'ai essayé de voir l'endroit où ça commence avec François.

Chaque fois que quelqu'un a fini sa consultation privée, il met une pièce de deux francs dans un bocal à confitures vide et il s'en va sans dire au revoir à personne. Comme ni François ni mon oncle ne parlent, je commence à avoir sommeil et juste avant de m'endormir je remarque que la lune, en passant par la fenêtre, fait une grande croix noire sur le parquet.

Quand je me réveille il n'y a presque plus personne dans la salle.

— Ça y est, c'est notre tour, dit François qui me porte dans ses bras jusqu'au lit de Mme Clothilde.

Elle a l'air d'être complètement vidée, son bonnet de nuit a glissé en arrière et ses cheveux lui tombent dans la figure.

— C'était bon de savoir que tu étais là, dit-elle à François. Tu ne m'en veux pas pour tout à l'heure ?

— Non, vous deviez avoir vos raisons.

Elle se penche vers nous et elle dit que ceux qui ont fait entrer la guerre aux Courtils ne sont pas venus ce soir, et que les autres ne sont pas responsables.

— Tout de même, dit François, ils ne veulent pas voir ce qui se passe.

— Ils n'ont pas appris, dit-elle. Tu es jeune, c'est pour ça que tu défends des idées. Quand on est vieux on défend des propriétés.

— Est-ce que vous savez où est mon oncle en ce moment ? dit-il.

Mme Clothilde prend la boule de verre et se met à la caresser.

— Alors c'est sérieux, dit François d'un air étonné, vous croyez vraiment pouvoir voir quelque chose dans ce machin-là ?

— Au début, dit-elle, je faisais semblant, pour rendre service à Rachel. Mais je me suis aperçue peu à peu que beaucoup de choses qui me passaient par la tête finissaient vraiment par arriver.

— Comment ça, pour rendre service à Rachel ? dit François.

— Oui, c'est elle qui a eu l'idée d'organiser tout ça.

François veut dire quelque chose mais Mme Clothilde lève la main et regarde au fond de la boule.

— Louis Guillemin est à Bâle, dit-elle.

— Allons donc ? Qu'est-ce qu'il fait là-bas ? dit François.

— Il se cache, il a emporté beaucoup d'argent et il a peur. Mon pauvre petit, tu l'avais deviné, non ?

— Deviné quoi ?

— Mais que ton oncle est un misérable !

François se tourne vers moi avec un regard froncé, il est embêté que j'aie entendu ce que Mme Clothilde vient de lui dire.

— Oui je m'en doutais, dit-il. Il a fait du marché noir et il a filé avant que ça se gâte, c'est bien ça ?

Mme Clothilde dit qu'elle ne sait pas, elle sait seulement que le mal est dans l'air et que François est le seul qui peut faire quelque chose pour empêcher que ça continue. Elle me prend par la main et me tire vers elle :

— Tu sais pourquoi François t'a amenée avec lui ce soir ? Moi je le sais.

— Pourquoi ? dis-je.

— Parce qu'il veut que tu sois son témoin.

— Comme à un mariage ?

— Non, non ! À un mariage c'est de la frime. Il veut que tu sois son témoin *pour de vrai*.

— Mais qu'est-ce qu'il faut faire ?

— Rien, il ne faut rien faire, il faut seulement regarder et écouter. C'est bien ça que tu avais derrière la tête, hein François ?

François ne dit rien et Mme Clothilde l'empêche de mettre deux francs dans le bocal à confitures. On est remplacé par une grosse dame qui me regarde comme si elle m'avait déjà vue, et c'est pour ça que je me souviens d'elle : elle était rentrée dans le bureau de M. Fetz le jour où il m'a donné une plaque de chocolat.

Mon oncle et ma tante Rachel nous attendent près de la cheminée.

— Et alors, vous êtes convaincu ? dit ma tante.

— Elle est étonnante, dit François. C'est vous qui avez eu l'idée d'organiser cette mise en scène ?

— Jamais de la vie, dit-elle. Mais parlons-en ! Qu'est-ce qui vous a pris de faire un pareil discours tout à l'heure ?

— Moi, je regrette que vous vous soyez arrêté au milieu, dit mon oncle. Est-ce que par hasard vous auriez découvert des choses suspectes dans la région ?

— Oui, dit François, on pourrait peut-être en parler un de ces jours.

— Pourquoi pas tout de suite ? dit mon oncle.

La grosse dame vient de partir et je remarque que l'ombre de la croix sur le parquet n'est plus à la même place qu'avant. Elle est montée sur le lit et Mme Clothilde se trouve maintenant en plein milieu. Elle commence alors à s'agiter de plus en plus, elle veut déchirer sa chemise de nuit comme si elle n'avait pas assez d'air pour respirer. Tout à coup, elle pousse un cri terrible. On court vers elle, elle nous montre quelque chose au bout de son lit mais nous, on voit rien du tout.

— Là, là ! *Il* a mal, *il* va mourir, dit-elle en grelottant des dents.

— Qui va mourir ? De qui parlez-vous ? dit François.

— *Ils* sont à la Chaumine, dit-elle, je les vois tous avec leurs barbes, et il y en a un qui s'est fait mal.

Ma tante Rachel s'assied sur le lit et secoue Mme Clothilde en lui disant : « Taisez-vous, vieille folle ! » et elle veut même l'empêcher de continuer en lui mettant la main devant la bouche, mais mon oncle lui tord le poignet et il dit :

— Qu'est-ce qu'il y a à la Chaumine ?

— *Ils* sont dans la cave, dit Mme Clothilde, *ils* ont eu un accident, Halinka Warynski est avec eux. Halinka a peur, allez-y, allez-y vite !

— Venez ! dit mon oncle.

François hésite à laisser Mme Clothilde comme ça. Elle est retombée sur son oreiller et garde la bouche grande ouverte. Je croyais que nous étions seuls dans la salle mais j'entends un bruit derrière nous et quand je me retourne, il me semble voir l'ombre de M. Viret qui rentre dans le mur, mais je me dis que c'est impossible et que je dois m'être trompée.

Finalement tout le monde sort dehors et on s'arrête devant la grille du cimetière.

— Rachel, qu'est-ce que c'est que cette histoire ? dit mon oncle.

— Je ne sais pas, dit-elle (mais elle commence déjà à pleurer).

— Bon, alors je raccompagne François chez lui, dit-il, on va bien voir.

— Non !

Ma tante essaye de lui barrer la route, mais tout à coup elle change d'idée.

— Tu as raison, dit-elle, il faut y aller. Il est sûrement arrivé quelque chose à Halinka.

— On peut savoir ce que Halinka fait chez moi ? dit François.

— Oui, mais allons-y, dit ma tante, je vais tout vous dire en chemin.

CHAPITRE X

Ma tante ne sait pas par quel bout commencer son histoire, elle a peur que mon oncle pense que tout est de sa faute. Elle arrête de s'excuser quand il lui donne la main en lui disant d'économiser sa salive pour raconter seulement ce qui est important.

En tout cas l'histoire est drôlement bien combinée : chaque fois qu'il y a la pleine lune aux Courtils, des réfugiés traversent la frontière sans permission et, pour pas se faire attraper par les douaniers, ils passent par le col de l'Églantière en faisant de la varappe. C'est d'ailleurs pour ça que ma tante Rachel les appelle « les Alpinistes ».

Avant de sortir de France, les Alpinistes s'habillent tout en gris et se mettent du noir sur la figure pour ressembler de loin à des morceaux de rocher. Quand ils arrivent en Suisse, ils doivent se laver et changer de vêtements et c'est ma mère qui les aide avec une demi-douzaine de ses amis, qui montent de Genève exprès pour ça. Ils se retrouvent tous à la Chaumine.

— Et Guillemin vous prête sa maison comme ça, sans rien dire ? dit mon oncle. Ça m'étonne de lui, il sait pourtant ce qu'il risque.

— Il le sait tellement qu'il nous demande cinquante francs chaque fois, dit ma tante. Au moins, depuis qu'il est parti, c'est toujours ça qu'on sauve.

Pour éviter aux Alpinistes de se faire voir quand ils arrivent près des Courtils, ma mère et ma tante Rachel se sont arrangées avec Mme Clothilde pour inviter beaucoup de monde ce soir-là. Mme Clothilde dit qu'il faut que la lune brille dans sa boule en cristal pour qu'elle puisse deviner l'avenir, mais la vraie raison c'est que les Alpinistes ne peuvent pas traverser la montagne quand il pleut ou quand on n'y voit rien.

Tout à coup ma tante Rachel s'arrête de parler et pousse un petit cri :

— Mon Dieu, on a oublié Catherine là-bas !

— Mais non, dis-je en m'avançant, je vous ai suivis par-derrière.

Ils ne sont pas contents de me voir là, mais ça n'est tout de même pas ma faute s'ils m'ont oubliée à cause de leurs histoires. De toute façon on est arrivé devant le portail de la Chaumine, c'est trop tard pour me renvoyer.

— Restez là, dit mon oncle, je vais d'abord jeter un coup d'œil, on ne sait jamais.

— Non, c'est mieux que ce soit moi, dit ma tante Rachel, ils savent qui je suis.

Pendant qu'elle traverse le jardin en courant, la porte de la maison s'ouvre et quelqu'un sort pour venir à sa rencontre.

— C'est Halinka, dit François, elle a mis des pantalons, mais c'est bien elle.

— Vous avez de bons yeux, dit mon oncle.

C'est sûrement vrai parce que même moi je n'ai pas reconnu ma mère et pourtant, comme je suis la plus jeune, c'est moi qui devrais normalement avoir la meilleure vue.

Ma mère nous a entendus approcher, elle se tourne vers nous en se mangeant les lèvres, je me dis qu'elle va me gronder d'être venue, mais c'est après mon oncle qu'elle en a :

— Tu vas nous dénoncer ? dit-elle.

— Ça dépend. Qu'est-ce qui est arrivé ce soir ?

— Il y a eu un accident. Un gars a dévissé en descendant le Grand-Combin, les autres l'ont porté comme ils ont pu, pour ne pas le laisser aux Boches.

— Il faut appeler un médecin, dit mon oncle.

— Ce n'est pas la peine, nous avons deux étudiants en médecine dans le réseau, ils s'en occupent.

— C'est grave ?

— Oui.

— Alors je veux voir ça, dit mon oncle.

Ma mère hésite et elle demande de nouveau s'il va les dénoncer.

— Tu n'as rien fait de mal ? dit-il.

— Pourquoi tu me demandes ça ? dit ma mère. Tu sais bien que si je me fais pincer, je risque au moins cinq ans.

— Je sais, mais je t'ai pas demandé si tu as fait quelque chose de défendu, je t'ai demandé si tu as fait quelque chose de mal.

— Oh, toi et tes théories ! dit ma tante Rachel. C'est bien le moment de faire des discours.

Ma mère pose sa main sur le bras de mon oncle et lui jure qu'elle n'a rien fait de mal.

— Dans ce cas, dit-il, tu peux compter sur moi, je ne dirai rien.

On entre dans la maison, tout est éteint sauf un bout de lumière qui dépasse sous la porte de la cave. Ma mère descend la première pour dire aux gens qui sont en bas de ne pas s'énerver et on la suit à la queue leu leu.

Je reconnais tout de suite les Alpinistes parmi les autres, d'abord parce qu'ils sont en train de raser leurs barbes devant des bouts de miroir et une grosse cuvette pleine d'eau chaude, posée sur une caisse en bois ; et puis aussi parce qu'ils ont les yeux brillants et une figure toute fermée, comme on n'en voit pas chez nous.

Ceux qui ont fini de se laver changent de vêtements et essayent de trouver une paire de chaussures de la bonne grandeur dans une malle en osier. Je la montre du doigt à François et il me fait un clin d'œil, il vient de comprendre lui aussi que ce n'est pas les pieds de M. Guillemin qui changent de longueur, c'est les gens qui vont dans les souliers.

À part les Alpinistes, il y a des amis à ma mère que j'ai jamais vus ; ils écoutent ses explications en regardant sans arrêt de notre côté. Dans un coin, près d'une lampe sans abat-jour, ils ont posé un matelas par terre pour celui qui s'est blessé. Je m'attendais à le voir plein de sang, mais il est seulement d'une saleté terrible, avec un visage tout barbouillé. On a découpé ses vêtements avec des ciseaux et ses deux jambes sont ficelées ensemble, avec une planche au milieu.

Mon oncle s'approche pour regarder et il demande à ma mère où est son étudiant en médecine.

— C'est moi, dit un monsieur qui est en train de chercher quelque chose dans une petite valise. Il est habillé comme n'importe qui et il a les ongles sales, il ne doit pas avoir son diplôme lui non plus.

— Et alors ? dit mon oncle en montrant le blessé. Il a l'air calme.

Le monsieur dit qu'il lui a fait une piqûre pour l'endormir. En arrivant à Boischâtel, les autres lui avaient mis un bâillon sur la bouche pour l'empêcher de crier et il est arrivé à moitié étouffé à la Chaumine.

— Quelle horreur ! dit ma tante, vous pensez qu'il va… ?

Elle veut savoir s'il va mourir mais elle n'ose pas le demander jusqu'au bout. Le monsieur dit qu'il ne sait pas, mais que de toute façon on ne peut pas le transporter pour le moment.

— Vous voulez le laisser ici ? dit François.

— Ça vous gêne ? dit ma mère.

— Oui ça me gêne, mais pas pour les raisons que vous croyez. Je me demande simplement si la maison de mon oncle est sûre.

— Quoi qu'il en soit on n'a pas le choix, dit ma mère. Les autres camarades sont presque prêts, ils vont descendre à Entremont où une camionnette les attend pour Genève. Dès qu'ils seront partis on tâchera de monter celui-ci dans une des chambres du haut. Bordeaux passera la nuit ici, moi il faut que je retourne à l'asile, j'ai laissé mes vieux sans surveillance.

Elle dit encore que les autres fois ça ne lui a pas pris plus d'une heure pour s'occuper des Alpinistes, mais aujourd'hui ils sont arrivés avec deux heures de retard à cause de l'accident et elle a peur que quelqu'un se soit aperçu de son absence à l'asile.

— Bon, moi je rentre au village, dit ma tante Rachel. Tu viens, Catherine ?

Ma mère m'embrasse en pensant à autre chose. François remonte avec nous et il sort dans le jardin en premier pour voir si tout est calme. Au bout d'un moment, il nous fait signe de le rejoindre.

— Merci, vous avez été très chic, dit ma tante. Au fond, ça a presque été une bonne chose que la vieille Clothilde se mette à dérailler. Vous voyez votre tête si vous étiez rentré tout seul, avec toute cette bande dans votre maison ?

— Votre sœur faisait le guet, dit François, elle m'aurait sûrement empêché de descendre dans la cave.

— Et ça ne vous aurait pas étonné de la trouver chez vous au milieu de la nuit ? dit ma tante en riant.

— Non, pas particulièrement, dit-il.

Ma tante Rachel me regarde avant de dire à François qu'ils en reparleront une autre fois. Malgré ça, elle recommence tout de suite en disant que ma mère a confiance en lui et que si elle ne lui a pas dit ce qui se passait à la Chaumine pendant la réunion chez Mme Clothilde, c'est seulement parce qu'elle n'est pas seule en cause dans le réseau qui s'occupe des Alpinistes.

François ne répond rien mais il nous montre la silhouette du château de Pré-l'Évêque qui occupe presque la moitié du ciel, on dirait qu'on a découpé un grand trou noir dans les étoiles.

— Je ne peux pas m'empêcher de penser que Halinka prend des risques, dit-il. Il y a peut-être là-bas un vieillard qui a besoin d'aide, mais il a beau sonner, personne ne vient. Je ne reproche pas à Halinka ce qu'elle fait pour les Alpinistes, au contraire je trouve ça courageux, mais je me demande parfois si le courage n'est pas une façon de fuir la réalité.

François me regarde en parlant, mais comme il pense très fort à ce qu'il dit, il ne me voit pas et quand il se rend compte que je l'écoute, il secoue la tête :

— Pardonne-moi Catherine, je ne devrais pas dire ces choses-là devant toi, je suis fatigué tu comprends ? D'ailleurs toi aussi tu es fatiguée. Allez, va vite te coucher !

Au lieu de m'embrasser, il me donne la main et ça

me fait plaisir. Il commence à voir que je ne suis plus une petite fille.

— Adieu, dis-je.

— Ici, en Suisse, vous dites adieu pour dire au revoir, dit François, je n'arrive pas à m'y faire.

CHAPITRE XI

Ce matin, au petit déjeuner, mon oncle et ma tante se mettent à deux pour me faire des recommandations. Ils m'expliquent que si je ne tiens pas ma langue tranquille, ma mère risque d'avoir des gros ennuis.

— Elle n'a rien fait de mal, dit ma tante, elle a seulement aidé des Juifs à passer la frontière.

— C'est embêtant d'être Juif, dis-je, moi plus tard je veux me faire catholique.

Ma tante Rachel n'a pas l'air d'aimer ça et elle dit que je devrais avoir honte de vouloir changer de religion. Elle, elle ne va pas à l'église et ne dit jamais ses prières, mais elle est Juive quand même parce qu'elle se met en colère dès que les gens disent du mal de nous.

Cet après-midi, en sortant de l'école, je vois François qui m'attend au bout du préau. Les autres filles de ma classe me font les cornes et nous suivent un moment en nous criant des noms, mais ça me fait ni chaud ni froid, elles ne peuvent pas comprendre.

— Est-ce qu'il est mort? dis-je.

— Qui ça? dit François.

— Mais l'Alpiniste qui est tombé hier soir!

— Non, mais il est toujours dans le coma.

— C'est quoi le coma?

— C'est une sorte de sommeil entre la vie et la mort.

François m'explique alors pourquoi il est venu m'attendre à la sortie de l'école. Il sait maintenant où se trouve M. Voëgler et il veut que j'aille lui porter tout de suite le papier de la pharmacie qui traîne dans la poche de mon tablier depuis plusieurs jours.

— Sa chambre est au dernier étage du château, dit-il, sur la porte il y a le numéro 240. Tiens, je l'ai écrit sur ce bout de carton. Et ça, c'est une clé passe-partout.

— Pourquoi faire? dis-je.

— Pour entrer chez M. Voëgler. Il est malade et pour empêcher que les autres viennent le déranger, on l'a enfermé dans sa chambre.

— Comment vous le savez?

— Je me suis renseigné. Quand tu verras M. Voëgler, demande-lui s'il a besoin de quelque chose. Moi je vais t'attendre à la Chaumine.

— J'ai tout compris, dis-je.

François me met la main sur l'épaule en disant qu'il faut faire tout ça sans me faire voir et sans montrer à personne la clé qu'il m'a donnée et qui ouvre toutes les portes de l'asile.

— Quand j'aurai fini, dis-je, est-ce qu'il faudra la rendre à ma mère?

Je croyais que c'était elle qui l'avait prêtée à François, mais je me suis trompée car il dit :

— Non, non, surtout pas! Ta mère doit rester en dehors de tout ça.

— Pourquoi?

— Parce que c'est à toi que M. Voëgler a demandé service l'autre jour, pas à elle.

— Il se méfie d'elle? dis-je.

— Je ne sais pas, il se méfie peut-être de tout le monde.

Je quitte François près de la Chaumine et je vais à l'asile en me disant que les filles de ma classe ne me croiraient jamais si je leur racontais tous les secrets que j'ai appris depuis que François est aux Courtils.

J'arrive au dernier étage du château comme de rien, il faut dire que je commence à avoir l'habitude. La chambre de M. Voëgler est la dernière au fond du corridor, mais juste avant il y a une ficelle qui barre la route avec un écriteau attaché au milieu : *Visites interdites.*

François me l'a dit mais je trouve que ça fait encore plus défendu quand c'est écrit. J'ai envie de repartir, mais ce serait trop bête et je passe par-dessus la ficelle. La porte est fermée à clé et comme personne ne répond, je l'ouvre avec le passe-partout.

M. Voëgler est là dans son lit, et d'abord je pense

qu'il est mort. Après je me dis que je me suis trompée de chambre tellement il ne se ressemble plus. Il a la figure toute aplatie et sa barbe a poussé dans tous les sens. Mais c'est quand même lui parce qu'il me reconnaît dès qu'il ouvre les yeux et il me parle en suisse-allemand.

— Je comprends rien, dis-je.

Il se met à tousser, mais il se retient parce que ça lui fait trop mal et il dit :

— Mon Dieu, mais c'est de la folie ! Comment as-tu fait pour entrer ici ?

J'essaie de lui expliquer, mais il me dit de lui apporter le verre d'eau qui est sur la table à côté d'une carafe, à l'autre bout de la chambre. Puis il me demande de lui lever la tête pour l'aider à boire, mais je dois lui faire répéter trois fois avant de comprendre, parce qu'il n'a presque plus de voix. Il boit par petits coups en tenant le verre à deux mains et c'est alors que je vois son pied qui sort de la couverture du lit et qui est attaché aux barreaux avec une petite chaîne et un cadenas de vélo.

M. Voëgler me dit d'aller remettre le verre à sa place.

— Remplis-le comme avant, il ne faut pas qu'ils sachent !

— Vous n'avez pas le droit de boire ? dis-je. C'est pour ça qu'ils vous ont attaché ?

— Ma pauvre enfant, va-t'en vite ! S'ils te trouvent ici… Ah, ils sont capables de n'importe quoi ! Qui t'a dit de venir me voir ?

Je lui raconte ce qui s'est passé avec mon oncle et

avec François, mais je m'embrouille quand je vois qu'il n'a pas envie d'écouter quelque chose de trop long. À la fin je lui donne le papier de la pharmacie, mais il n'arrive pas à le lire.

— Tiens, reprends-le! Pour moi c'est trop tard! Rentre chez toi et raconte à Juste Perruchet ce que tu as vu. Dis-lui qu'ils ne m'ont pas donné à manger depuis trois jours et presque rien à boire non plus.

Je commence alors à avoir vraiment peur. Avant, je me disais que si on me trouvait ici on allait me gronder, mais tout à coup je pense qu'on peut me faire quelque chose d'autre.

— C'est M. Fetz qui vous empêche de manger? dis-je.

— Oui, il est dans le coup, mais c'est surtout la grosse Berthoud. Cette femme est un monstre! Dis, tu crois que ton oncle va te croire quand tu lui raconteras tout ça?

— Je vais lui dire que c'est vrai.

— C'est pas suffisant! Tu sais, on tient trop à la paix pour croire que des choses comme ça peuvent se passer chez nous.

M. Voëgler continue de parler mais je ne comprends presque plus rien de ce qu'il dit, à part qu'il faut se dépêcher de le sortir de là parce qu'il ne tiendra plus longtemps.

— Pourquoi est-ce qu'ils vous font ça? dis-je.

— Ils veulent que je leur dise quelque chose et moi je ne veux pas.

Il me demande de lui apporter sa bible qui est sur la commode, à côté de la carafe d'eau.

— Ils ont cherché partout, dit-il, mais ils n'ont pas pensé à regarder là-dedans, c'est trop drôle !

— Qu'est-ce qu'ils cherchaient ?

— Attends, tu vas voir.

Il ouvre la bible en tremblant comme s'il voulait la déchirer, mais il essaye seulement de sortir quelque chose d'une sorte de petite cachette dans la couverture. Finalement il y arrive et je vois que c'est des photographies.

— Il y en avait beaucoup d'autres, dit-il, mais ils les ont trouvées.

— Ça montre quoi ?

M. Voëgler doit savoir par cœur ce qu'il y a sur les photos, car il ne les regarde même pas avant de dire que sur la première, on voit une vieille dame toute nue qui a la tête complètement rasée.

— Elle était trop coquette, dit-il, elle a voulu se teindre les cheveux et elle a fait des taches sur son oreiller. Alors ils l'ont punie en la laissant comme ça dans sa chambre pendant une journée, avec la porte grande ouverte.

L'autre photo montre une sorte de placard à balais et dedans, il y a un homme à genoux.

— C'est le cachot de l'asile, dit M. Voëgler, ils ne l'utilisent pas souvent, mais j'y ai quand même passé deux nuits, c'est là que j'ai pris froid.

— Mais sur la photo, c'est pas vous, dis-je.

— Non, bien sûr ! C'est M. Kohler, il n'en est pas

sorti vivant. Je crois qu'ils l'avaient oublié là, tout simplement.

Mais M. Voëgler n'a pas l'air de trouver que c'est si simple que ça, parce qu'en le racontant il serre les poings et il pleure à moitié. Il me dit de nouveau que ce n'est pas des histoires pour une fille de mon âge, mais qu'il n'a pas le choix. Après, il me demande de partir et d'emmener les photographies pour les donner à mon oncle ou à François.

— Fais bien attention, dit-il, c'est les dernières qui me restent et elles m'ont coûté cher.

— Est-ce que vous allez bientôt entrer dans le coma ? dis-je.

— C'est une bonne question ! Oui, je crois que ça ne sera plus bien long à présent.

J'ai toujours aussi peur qu'avant, mais ce n'est plus tout à fait la même chose quand même, maintenant j'ai de la peine à croire que tout ça est vraiment en train d'arriver.

— Tiens, emporte aussi cette bible, je te la donne, dit M. Voëgler, elle ne me servira plus et de toute façon je la connais presque par cœur. C'est un livre magique tu sais, si je ne l'avais pas eu ils auraient sûrement réussi à me faire parler.

Je regarde la petite cachette dans la couverture et je dis que c'est une bonne combine, mais il se fâche un peu en disant que ce n'est pas de ça qu'il veut parler.

— J'ai trouvé des choses là-dedans qui m'ont donné le courage de tenir bon jusqu'au bout, tu comprends ? Il n'y a pas de combine comme tu dis, il suffit de lire et de vouloir comprendre.

— C'est à quelle place ? dis-je.

— Je ne peux pas te le dire, il faut que tu trouves toute seule.

Au moment de partir je pense que je devrais peut-être embrasser M. Voëgler, mais ça ne me dit rien parce qu'il est vraiment trop vieux et malade, ça me ferait drôle de le toucher. Alors je lui donne seulement la main, il se redresse pour essayer de me voir à travers ses yeux qui sont tout troubles, et malgré qu'il me répète de partir tout de suite, il ne veut plus me lâcher.

Une fois sortie de l'asile je cours comme une folle jusqu'à la Chaumine, mais je m'arrête au portail en voyant la bicyclette de ma mère appuyée contre un arbre. Je ne sais plus quoi faire, les gens autour de moi n'arrêtent pas de se faire des cachotteries et je ne comprends pas pourquoi ni François ni mon oncle ne veulent que je dise à ma mère ce qui s'est passé avec M. Voëgler et son petit flacon. De toute façon elle ne sait pas non plus qu'on le garde enfermé et qu'on le prive de manger, sinon elle ne laisserait jamais faire ça.

Au lieu de traverser le jardin, je contourne la maison en passant à travers le bosquet et une fois derrière, je guigne par la fenêtre de la cuisine. Ma mère et François sont justement en train de discuter, mais je suis déçue parce que ça n'a pas l'air d'aller tout seul, surtout du côté de François qui tape sur la table avec le poing.

Pendant le déjeuner, mon oncle et ma tante se sont demandé comment François allait se débrouiller avec l'Alpiniste blessé dans sa maison. Ma tante a dit qu'on peut compter sur l'étudiant en médecine, et aussi sur ma mère qui viendra à la Chaumine le plus souvent possible.

— Ça lui fera une bonne excuse, a-t-elle dit en regardant mon oncle par en dessous.

Elle croyait que je ne comprendrais pas, mais je savais déjà que ma mère veut neutraliser François et que, pour y arriver, elle va lui proposer d'être sa bonne amie. Seulement je me dis qu'elle n'y arrivera jamais quand je la vois dans la cuisine en train de se disputer avec lui. Tout à coup elle se met à pleurer pour de vrai et François va dans la chambre à côté pour voir si l'Alpiniste n'a besoin de rien. Après, il reste tout droit près de la porte, il regarde ma mère en avançant les lèvres comme s'il avait envie de cracher.

Alors ma mère se lève en repoussant le tabouret d'un coup de pied et elle veut partir, mais il tend le bras pour l'arrêter au passage et il la prend par les cheveux. Je pense qu'il veut lui flanquer une paire de claques et qu'elle va se défendre, mais c'est tout le contraire qui arrive. Elle lui met les deux mains derrière la nuque et elle l'embrasse sur la bouche tellement fort qu'il lève les bras pour se défendre. Mais à la fin ils se serrent ensemble comme des vrais amoureux. Ça dure long-temps et je me demande comment ils font pour respirer, mais il y a sûrement un truc que Marie-Claude Montfa-von pourra m'expliquer.

Je repars au village parce que c'est pas le moment d'embêter François avec les photographies de M. Voëgler. D'ailleurs il va certainement rester avec ma mère jusqu'au souper et je ne peux pas attendre aussi long-temps.

Des fois ma mère est injuste avec moi et pendant un bout de temps je ne peux pas m'empêcher de lui en vou-loir à mort, mais c'est la première fois que je la déteste comme ça. C'est tellement fort que ça retombe un peu sur François, et pourtant c'est pas de sa faute. N'em-pêche, je suis sûre maintenant qu'il va rester aux Cour-tils et que ma mère va me le garder jusqu'à ce que je puisse me marier avec lui. Je fais même le calcul, quand je serai grande il aura vingt-neuf ans, et à ce moment-là il sera bien content de m'avoir parce que ma mère sera vieille ou même morte, et de toute façon elle ne comp-tera plus.

Sur le chemin du village je repense aux petits jour-naux que j'ai trouvés dans la table de nuit de M. Guille-min. François a sûrement regardé les images lui aussi, et surtout celle de la dame qui fait la grenouille sur une table. J'essaye alors d'imaginer qu'il va faire la même chose avec ma mère, mais ça me paraît impossible, à moins qu'ils ne ferment toutes les lumières. Ce qui me fait le plus drôle c'est de penser qu'ils vont se montrer tout nus devant l'autre, moi à leur place j'aurais honte.

Mon oncle n'est pas à la maison et j'attends toute la soirée pour lui raconter ce qui s'est passé avec M. Voëgler. À la fin je m'endors malgré moi et quand je me réveille au milieu de la nuit, le café est fermé et tout le monde dort dans la maison. Je ne sais plus quoi faire et je me dis que M. Voëgler ne doit pas comprendre pourquoi on n'est pas venu à son secours.

Finalement je décide de faire un miracle, comme dans les histoires que Mlle Grémillet nous raconte. Seulement je ne sais pas comment il faut s'y prendre, parce que ma tante ne veut pas que j'aille au catéchisme ni à l'école du dimanche, elle dit que toutes ces histoires-là c'est des attrape-nigauds.

Tout de même, j'essaye de faire une prière, mais comme je n'en sais aucune par cœur je récite *La Cigale et la Fourmi* en pensant très fort à M. Voëgler. C'est la première fois et je me dis que peut-être le bon Dieu ne fera pas le difficile.

CHAPITRE XII

En ouvrant les volets de ma chambre je vois qu'il y a du soleil partout, c'est injuste pour M. Voëgler.

Tout à coup j'entends quelqu'un qui m'appelle tout doucement, pourtant il n'y a personne sur la Grand'Place. J'attends que ça recommence, c'est la voix de François, elle sort du tilleul juste devant ma fenêtre.

— Maintenant je vous vois, dis-je, c'est plus la peine de vous cacher. Comment vous avez fait pour monter ?

— Tsst ! Parle plus bas sinon tu vas ameuter tout le village.

Je vois seulement des morceaux de François à travers les feuilles jaunes et rouges et je ne peux pas savoir s'il est de bonne humeur ou quoi, parce que sa figure reste dans l'ombre. La première chose qu'il me demande, c'est pourquoi je ne suis pas venue à la Chaumine hier soir comme prévu.

— C'est à cause de ma mère, dis-je, je ne voulais pas vous embêter tous les deux.

— Comment ça ?

— Allez, vous le savez bien ! Est-ce que vous avez déjà mis des graines de bébé dans son ventre ?

François ne répond pas tout de suite, ça doit le gêner de parler de ces choses-là. Finalement il demande :

— Qui c'est qui t'a dit ça ?

— C'est personne, mais je savais que ça allait arriver.

— Comment ça ?

— La première fois que j'ai parlé de vous à ma mère, elle était pas contente de savoir que vous étiez à la Chaumine et elle a dit qu'elle voulait vous neutraliser.

— Je vois, dit François.

J'entends une branche qui se casse quelque part dans l'arbre et j'ai peur de voir François dégringoler, surtout que juste en dessous du tilleul il y a la barrière de la tonnelle du café, avec ses pics en l'air.

— J'ai vu M. Voëgler, dis-je, mais je crois que ça va vous faire de la peine de savoir.

— Oh, si ce n'est que ça, tu peux y aller !

Je raconte comment j'ai trouvé M. Voëgler à l'asile, avec l'histoire du verre d'eau, de la chaîne de vélo et des photographies et François ne m'arrête pas une seule fois. À la fin il me demande si je suis sûre de n'avoir rien oublié, c'est une drôle de question parce que ça me semble bien suffisant comme ça.

— Je descends, dit François, toi va chercher ton oncle, il faut que je lui parle tout de suite.

— Mais il est déjà parti !

— Où ça ?

— Faire sa première tournée, mais il va rentrer pour déjeuner.

— Bon, en attendant habille-toi vite, j'arrive.

Quand je descends au café, je trouve François qui discute avec ma tante Rachel, derrière le comptoir.

— Tant pis pour son école, dit-il, elle n'en mourra pas.

— Mais qu'est-ce qu'elle a vu au juste ? C'est donc si grave ? En tout cas elle ne m'a rien dit.

Ma tante m'a vue descendre l'escalier, mais elle continue à parler à François comme si je n'étais pas là, elle dit qu'elle fait son possible mais que tout ça c'est pas des conditions pour élever des gosses.

— Est-ce que vous savez où on peut trouver Perruchet ? dit François.

— Ma foi, si vous me dites que c'est vraiment urgent…

— Où ça ?

— Il est tout près, dit ma tante, il est au sommet du clocher, vous n'avez qu'à rentrer dans l'église et prendre l'escalier à droite.

Ma tante insiste pour que je boive au moins mon cacao avant de partir. Je croyais qu'elle serait fâchée contre moi, mais elle me regarde d'une drôle de façon, comme si je lui faisais peur. Mon oncle lui dit souvent qu'elle est trop curieuse et qu'à force de fourrer son grand nez partout elle finira par prendre un rhume, n'empêche qu'aujourd'hui elle n'a même pas envie de savoir ce que j'ai vu à l'asile.

— Tu as les photos ? dit François en ouvrant la porte du café.

— Oui, dis-je.

— Montre voir !

Il les regarde un bon moment et puis il regarde ma tante qui est restée derrière le comptoir et j'ai envie de dire qu'elle n'a rien fait, tellement il a l'air fâché.

Aux Courtils, c'est défendu aux enfants de monter dans le clocher de l'église, mais j'y suis quand même allée plusieurs fois en cachette. Je dis à François de passer devant, parce que l'escalier est aussi raide qu'une échelle. Une fois, avec Alain Deshusses, je suis montée la première et après, il a raconté aux autres garçons de la classe qu'il avait vu mes culottes.

Tout au haut du clocher il y a une sorte de plate-forme en bois avec, au milieu, une grosse cloche qui pend dans le vide. Des rayons de soleil descendent vers nous et comme il y a des tas de petites poussières dans l'air, on a l'impression qu'ils sont solides et qu'on pourrait les prendre comme des bâtons.

En haut du clocher on trouve mon oncle qui regarde les montagnes avec ses grosses jumelles.

— Vous voyez quelque chose d'intéressant ? dit François.

— Non, et ça me rassure, dit mon oncle. À part ça je vous attendais avec impatience.

— Comment ça?

— Tout à l'heure, quand j'ai vu Cathy en train de faire la conversation avec le tilleul qui est devant sa fenêtre, je me suis dit qu'il y avait du nouveau.

— C'est vrai il y a du nouveau, dit François, mais avant d'en parler j'aimerais bien tirer certaines choses au clair avec vous.

Mon oncle arrête de regarder dans ses jumelles et il se tourne vers nous.

— C'est pas une mauvaise idée, dit-il, on commence par quoi?

— Par vous, dit François. Vous n'êtes pas seulement garde-champêtre ici, ça ne tient pas debout.

— Non, c'est vrai, je bricole à côté.

— Il est aussi chef de la défense civile, dis-je.

— Ça je le savais, dit François, mais c'est pas de ça que je veux parler. Tu vois, Catherine, dans une guerre les gens sont rarement ce qu'ils paraissent être, ils sont toujours un peu autre chose.

— Prends par exemple ton ami François, me dit mon oncle, il est autre chose qu'un simple réfugié.

— Vous avez raison, dit François, je suis aussi un pauvre type à qui la guerre a donné sa chance.

— Je n'en crois rien, dit mon oncle.

— Vous faites partie de la police, c'est bien ça?

— Non, pas exactement. Vous n'avez jamais entendu parler du Labyrinthe?

Mon oncle explique à François ce que c'est que le Labyrinthe. Au début je pense qu'il veut parler de ces carrés énervants où on entre d'un côté avec un crayon et où il faut trouver le moyen de sortir en passant par des chemins impossibles. En réalité, le labyrinthe dont il parle est une sorte de bureau où il n'y a jamais personne et qui appartient à l'armée, mais les soldats qui travaillent là-dedans se déguisent en hommes et s'installent un peu partout pour surveiller les frontières de la Suisse.

François a l'air de trouver ça très intéressant, mais qu'est-ce qu'il attend pour dire à mon oncle ce qui se passe à l'asile avec M. Voëgler?

— Est-ce que tu me les prêtes une minute? dis-je.

— Quoi, qu'est-ce que tu veux? dit mon oncle.

Je lui montre ses jumelles et il me les donne tout de suite, ça m'étonne parce qu'en général il dit que c'est un jouet trop délicat pour mettre entre les mains des enfants.

— Où est Louis Guillemin? dit François.

— Je n'en sais rien, dit mon oncle, tout ce que je sais c'est que la police le recherche pour une affaire de marché noir. Mais je ne vous apprends rien, vous avez déjà deviné tout ça, pas vrai?

À ce moment, j'ai une peur terrible que François dise que je l'ai aidé à deviner que les petits vieux de l'asile mangent du chien pendant que M. Guillemin vend la bonne viande ailleurs pour se faire des sous. Mais François ne me trahit pas, il veut seulement savoir pourquoi on n'a pas encore arrêté M. Grossenbach, et mon oncle explique que le chef de la bande se trouve à l'asile, mais qu'on ne sait pas encore qui c'est.

— Je ne vous crois pas, dit François, vous savez très bien que c'est Fetz qui est derrière toute cette saloperie.

— Oui c'est vrai, je crois que c'est lui, dit mon oncle, mais le seul moyen d'en être sûr c'est de le laisser continuer et de le prendre la main dans le sac. Si on arrête Grossenbach, il va se méfier, vous comprenez?

— Je comprends, dit François, mais alors je crois que c'est le moment de demander à Catherine ce qu'elle a vu dans la chambre de Voëgler.

Je raconte toute mon histoire et au début mon oncle sort son calepin, mais après une minute il est tellement étonné qu'il ne met rien dedans et qu'il se gratte le crâne avec son crayon comme s'il voulait écrire tout ce que je dis directement dans sa tête.

— Alors, qu'est-ce qu'on fait? dit François.

— D'abord on se bouche les oreilles, dit mon oncle.

Il le fait pour de bon en mettant ses deux mains de chaque côté de sa tête et comme François le regarde avec des yeux tout ronds, il lève le nez pour lui montrer au-dessus de nous les grandes roues à dentier de l'horloge. Au même moment on entend un bruit de crécelle et un gros marteau noir tape de toutes ses forces contre la cloche. Le bruit me fait presque tomber et je m'agrippe à la balustrade en attendant la suite (c'est seulement le premier coup de neuf heures). Après, même quand c'est fini, on continue à en avoir plein les oreilles pendant un bon moment.

Mon oncle montre alors le paysage à François en lui

disant d'écouter les cloches des autres villages qui se répondent et il dit leur nom l'un après l'autre :

— Boischâtel, Jussy, et là Saconnex, et là-bas Merle-les-Proulx. Des fois, quand le vent est dans l'axe, on peut même entendre les cloches de Chesnaie.

Depuis où on est, on peut voir toute la campagne pleine de soleil, avec les maisons et les fermes de Malombré et aussi la route qui fait des lacets entre les champs et les bois. François dit qu'il n'a jamais vu quelque chose d'aussi beau, mais ça n'a pas l'air de lui faire spécialement plaisir.

— Ici je suis à l'abri, dit-il, alors pourquoi est-ce que je me casse la tête à chercher un sens à tout ce qui se passe autour de moi ? Regardez en bas les gens qui se promènent dans le village, est-ce qu'on peut vraiment les mépriser ?

Je prends les jumelles et ça me fait une drôle d'impression. Les maisons, les tombes du cimetière et la fontaine de la Grand'Place passent devant moi comme si c'était des images qu'on tiendrait au bout d'une ficelle. Tout à coup j'attrape la fenêtre de Mme Clothilde et je la vois dans son lit, elle est en train d'essayer des chapeaux avec des voilettes et des plumes et elle fait des grimaces dans un miroir ovale qu'elle tient à la main.

Je voudrais continuer à regarder mais mon oncle me reprend les jumelles et les donne à François en lui disant que les gens d'ici se demandent ce qu'ils ont fait pour mériter la paix. Il dit encore :

— De l'autre côté de la frontière, les gens se disent

sûrement que la guerre est une chose absurde et ils ont bien raison, parce que ce n'est pas eux qui ont décidé de la faire. En Suisse c'est la paix qui est absurde et ça, c'est pas une chose facile à accepter. On aimerait bien croire que c'est parce qu'on est meilleur que les autres qu'on est épargné, mais au fond on sait bien que ça n'a rien à voir.

— N'empêche que la guerre des autres est une bonne excuse pour fermer les yeux sur ce qui va mal dans sa propre maison, dit François.

Il a l'air d'en avoir assez de parler de ces choses-là et il me demande si c'est chez Mme Clothilde que j'étais en train de regarder avec les jumelles.

— Oui, dis-je, elle est vraiment folle, vous trouvez pas?

— Tu veux plutôt dire qu'elle te fait peur, c'est pas pareil.

— Au fait, comment va votre Alpiniste? dit mon oncle.

— Toujours la même chose, dit François, les amis de Halinka s'en occupent à tour de rôle. Si j'ai bien compris, ils veulent le descendre à Genève en ambulance la nuit prochaine. Mais pourquoi vous me demandez ça?

— Parce que j'ai vu Mme Clothilde hier soir et elle m'a dit qu'elle se préparait à aller à un enterrement. Voyez-vous, c'est plus fort que moi, je ne peux pas m'empêcher de prêter l'oreille à ses sornettes et d'y repenser après coup.

François et mon oncle se regardent comme s'ils pensaient à la même chose et ça les décide à partir immédiatement.

— Où on va ? dis-je.

— Toi, tu files à l'école, dit mon oncle, tu diras à Mlle Grémillet que je passerai la voir pour lui expliquer pourquoi tu es en retard.

On part tous les trois sur le chemin de Pré-l'Évêque. Comme le soleil est resté du côté du clocher, nos ombres marchent devant nous et c'est alors que je vois que François a beau être très grand, ça n'est rien à côté de mon oncle qui a au moins une tête de plus que lui. D'abord j'essaye de rattraper mon ombre, mais ça ne marche pas alors je joue à marcher sur l'ombre de François, mais j'arrête au bout d'un moment parce que j'ai peur que ça finisse par lui faire mal, je ne sais pas comment expliquer ça, c'est comme si je pouvais faire de la magie malgré moi.

François me prend la main et mon oncle a l'air de trouver ça normal, en tout cas il ne dit rien, c'est peut-être parce qu'il est trop occupé à nous expliquer des choses sur le Labyrinthe.

— Je ne peux pas croire que Rachel et Halinka vous ont fait marcher à ce point-là, dit François. Vous avez vraiment cru à leur histoire de réunion spirite et de pleine lune ?

— Oh non, tout de même ! dit mon oncle. J'ai fait semblant d'être surpris l'autre soir, parce que Rachel ne me pardonnerait pas de l'avoir aidée à me tromper, mais en réalité, dès la première fois, je savais ce qui se passait dans la cave de M. Guillemin pendant que Mme Clothilde nous disait la bonne aventure.

Ça me rassure quand François dit qu'il ne comprend pas, parce que j'ai de la peine à comprendre moi aussi. Pourquoi est-ce que mon oncle laisse entrer des réfugiés en Suisse alors que le général Guisan a justement défendu de le faire ?

— Parce que c'est l'affaire de la police, dit mon oncle, et nous on n'a rien à voir avec la police, vous pouvez me croire ! Ça nous est égal que des réfugiés passent la frontière sans visa, par contre une fois qu'ils sont en Suisse on veut pouvoir les garder à l'œil.

François arrête de marcher et je peux pas m'empêcher de crier tellement il me serre fort la main.

— Ça veut dire quoi, ça ? dit-il.

— Ça veut dire que ces gens-là savent des tas de choses sur ce qui se passe à l'étranger, dit mon oncle. Pour nous c'est important de le savoir aussi, et c'est pas les journaux de Berlin ou de Paris qui vont nous le dire, vous comprenez ?

— Et qu'est-ce que vous faites avec les réfugiés que vous avez repérés ? dit François. Vous les arrêtez ?

— Bien sûr que non, on les surveille, ça suffit. Des fois on fait même tout ce qu'on peut pour empêcher la police de venir mettre le nez dans leurs affaires.

— Si je comprends bien, ici aux Courtils c'est vous qui avez été chargé de me surveiller ?

— Oui, c'est moi, dit mon oncle.

— Mais pourquoi vous me racontez tout ça? dit François.

— Parce que je vous aime bien.

François ne dit rien mais je devine que ça lui fait plaisir. À part ça je suis étonnée de voir que mon oncle a des amis comme tout le monde. J'ai l'impression qu'il n'y a personne au village à qui il pourrait dire un *vrai* secret, même pas à ma tante Rachel. C'est peut-être parce qu'il est trop grand et qu'il a des cheveux roux et plein de taches de rousseur dans la figure. Ça fait rien, moi je l'aime très fort et même si François se montre tout nu devant ma mère, c'est encore mon oncle Perruchet que je choisirais comme papa, si quelqu'un me demandait mon avis.

On est arrivé devant l'asile et François me demande de faire un saut à la Chaumine avant d'aller à l'école, pour dire à ma mère de les attendre là-bas.

— Montre-lui aussi les photographies de M. Voëgler, dit mon oncle.

— Non! dit François.

Il a à moitié crié et maintenant il se mord les lèvres parce qu'il ne sait pas comment s'expliquer.

— Vous êtes fâché contre elle? dis-je.

Il a l'air embêté et il dit qu'il ne sait pas.

— Vous n'avez plus confiance, dit mon oncle.

François a tout à coup les yeux pleins de larmes et il dit que lorsqu'on a eu besoin d'utiliser la cave de la Chaumine pour recevoir les Alpinistes, on a trouvé le bon moyen pour acheter sa complicité. Je pense que mon oncle va poser des questions pour savoir quel est ce moyen, mais il secoue simplement la tête en disant que ça n'a rien à voir avec ce qui se passe à l'asile pour M. Voëgler.

— Peut-être bien, dit François, mais si vous n'y voyez pas d'inconvénient, je préfère garder les photographies, on en aura peut-être besoin.

Ils passent sur le pont-levis et j'attends de les voir entrer dans le château avant de m'en aller. En marchant, j'essaie d'imaginer ce qui se passe à l'asile en ce moment et comment ils vont s'y prendre pour détacher M. Voëgler, si M. Fetz refuse de leur dire où il a caché la petite clé du cadenas à vélo.

CHAPITRE XIII

À la Chaumine, il y a un monsieur qui ronfle de toutes ses forces dans la chambre de François. Je le reconnais tout de suite, je l'ai déjà vu dans la cave le soir où les Alpinistes sont arrivés, mais aujourd'hui il a une blouse blanche et ça lui donne l'air d'être un vrai docteur.

Ma mère est assise dans un fauteuil au salon et elle dort elle aussi. L'Alpiniste qui s'est blessé en dévissant le Grand-Combin est étendu sur le divan, il ne bouge pas et je le regarde attentivement parce que c'est la première fois que je vois quelqu'un dans le coma. À côté de lui il y a des tas d'appareils compliqués en métal, avec des tuyaux et des bouteilles qui font des bulles.

Je sens que j'ai du chagrin, mais en même temps il se passe quelque chose de drôle : j'ai beau regarder le blessé et me dire que c'est très triste, ça ne marche pas. Alors je comprends que c'est de voir dormir ma mère qui me fait de la peine, elle est toute molle dans son fauteuil, avec des rides plein la figure et des marques sous les yeux, on dirait qu'elle continue de se faire du souci même en rêvant. Sur ses genoux il y a un passeport ouvert avec la photographie de François. Il ne se ressemble pas, il est presque aussi jeune que Marie-Claude Montfavon et il a les cheveux coupés tout courts, ça ne lui va pas du tout. Je vois qu'il est né le 28 septembre 1923, mais comme personne ne le savait aux Courtils, on a laissé passer sa fête sans rien lui dire. Je voudrais qu'on puisse remonter en arrière pour rattraper ça, parce que ce jour-là François a dû croire que personne ne l'aimait.

Sur le passeport, à côté de *Signes particuliers* on a écrit à la machine : *néant,* mais quelque chose a été ajouté au crayon, c'est écrit très léger pour qu'on puisse l'effacer sans faire de marque : *Aimé par Halinka.* Comme il y a un crayon sur le bras du fauteuil, c'est pas difficile de deviner que c'est ma mère qui a écrit ça et j'ai envie de la prendre par la main et de lui dire de pas trop s'en faire, mais je n'ose pas parce qu'elle n'est pas commode quand on la réveille en sursaut.

Je ne cherchais pas à faire de la peine à François en lui disant que ma mère voulait le neutraliser, surtout que c'est elle qui s'est fait prendre à la fin quand elle s'est mise à l'aimer pour de bon. Moi je peux faire criser Alain Deshusses comme je veux, alors que lui il peut bien faire semblant de bouder ou n'importe quoi d'autre, ça me fait rien du tout. Pour François et ma mère, c'est juste le contraire : c'est François qui est le plus fort, parce que ma mère l'aime plus que lui.

Je m'assieds dans l'autre fauteuil, je n'ai pas envie d'aller à l'école. Sur une petite table il y a une pile de journaux, François doit les lire attentivement, il a entouré des titres au crayon rouge et même découpé des bouts de pages pour les épingler ensemble.

En général, François ne parle pas de la guerre, et même il refuse de répondre aux questions qu'on lui pose au café. M. Viret dit que c'est parce qu'il veut oublier des mauvais souvenirs, mais je vois bien aujourd'hui que ce n'est pas la vraie raison.

J'entends la porte d'entrée qui s'ouvre, ma mère se lève d'un coup, elle regarde vers moi mais elle ne me voit pas parce qu'elle dort encore à moitié.

— Qui est là ? dit-elle.

— C'est moi, dit François.

Elle va dans le vestibule et elle se serre contre lui, elle veut l'embrasser sur la bouche mais il n'est pas d'accord et elle demande ce qui ne va pas.

— Voëgler est mort, dit-il.

— Quoi, le petit vieux aux tisanes ? Mais qu'est-ce que ça peut te faire ?

François commence à raconter toute l'histoire à ma mère, au début il doit faire un gros effort pour ne pas s'énerver. Moi ça me prendrait au moins une heure pour tout expliquer et je ne sais pas par quoi je commencerais, mais François est bien plus intelligent et comme il parle à toute vitesse, ça n'est pas long. À la fin ma mère regarde seulement sa bouche et secoue la tête comme si elle n'en pouvait plus de l'écouter parler.

— C'est pas vrai, dit-elle, c'est pas possible !

François sort les photographies que je lui ai données au café et les montre à ma mère. Elle veut les prendre mais il retire la main, il ne veut pas lui laisser toucher.

— Je veux la vérité Halinka, est-ce que tu savais ? Est-ce que tu savais, mais dis-le !

François prend ma mère par les épaules et la secoue comme un prunier en criant de plus en plus fort. Elle, elle n'a pas la force de se défendre tellement elle pleure.

— Non je te jure, dit-elle, je ne savais pas ! Moi je travaille seulement la nuit et je ne vois pratiquement personne, comment veux-tu que je sache ce qui se passe le reste du temps ?

— Mais le cachot où ils ont enfermé le vieux Kohler, dit François, tu ne vas pas me dire que tu ne savais pas ? J'ai posé des questions à l'asile, tout le monde est au courant.

— Les choses ne sont pas si simples, dit ma mère. Oui je savais pour le cachot, mais on n'y mettait presque jamais personne, ça s'est produit une seule fois à ma connaissance.

— Et tu as protesté ? dit François.

— Non je n'ai rien dit, mais tu ne sais pas ce que le vieux qu'on avait mis là avait fait.

— Je ne veux pas le savoir ! Et pour la vieille dame à qui on a rasé la tête, tu n'as rien dit non plus ?

— Mais ça se passait pas dans ma section ! C'est vrai, j'en ai vaguement entendu parler une fois mais je n'y ai pas prêté garde… Parce que ce que tu ne sais pas, c'est que les vieux sont toujours en train de se plaindre de quelque chose, ils sont pires que des enfants, alors on finit par plus les entendre.

Ma mère s'assied sur le porte-parapluie et elle recommence à pleurer. François la regarde sans bouger, je vois bien qu'il se pose des tas de questions et que ça lui fait mal, à lui aussi.

À ce moment le docteur vient au vestibule pour voir ce qui se passe, puis il entre dans le salon. Il a l'air surpris de me trouver là mais il ne dit rien, il va vers l'Alpiniste pour lui prendre le poignet et lui lever une paupière. Après, il secoue la tête en gonflant ses joues et il retourne dans le vestibule.

— Est-ce que tu as vu Fetz ? dit ma mère.

— Et comment, dit François, je me suis même battu avec lui.

— Quoi ! Tu n'es pas sérieux ?

François raconte qu'on l'a traité de menteur quand il a dit qu'il savait au sujet de M. Voëgler, alors il a montré les photographies et M. Fetz a essayé de les prendre pour les déchirer.

— Et Perruchet, qu'est-ce qu'il faisait pendant ce temps ? dit ma mère.

— Il m'a empêché de cogner trop fort, dit François, il faut dire que je ne savais plus ce que je faisais.

— On dirait que tu le regrettes.

— Qu'est-ce que tu crois? dit-il. Non, ce qui m'embête c'est ce que Fetz a répondu quand on a menacé de le dénoncer à la police.

— Vous, je vous vois venir, dit le docteur qui s'approche de ma mère et lui met la main sur l'épaule.

Elle lève la tête et regarde François, elle est tout à coup tellement inquiète qu'elle arrête de pleurer.

— Je parie que Guillemin a vendu la mèche, dit-elle.

Ils se mettent à parler tous les trois ensemble en devenant de plus en plus énervés et c'est seulement au bout d'un moment que je commence à comprendre, ils disent que M. Fetz connaît toute l'affaire des Alpinistes depuis le début et qu'il sait même le nom de ceux qui s'occupent du réseau en France, juste de l'autre côté de la frontière. Il a alors dit à François que si quelqu'un raconte à la police ce qui est arrivé à M. Voëgler, lui il ira de son côté raconter toute l'histoire des Alpinistes à des gens qui seront très contents de la connaître. La seule chose que je ne comprends pas, c'est quand le docteur dit que M. Fetz veut les faire chanter, à mon avis il veut seulement les empêcher de parler des vilaines choses qui se passent à l'asile.

Ma mère dit alors des noms terribles à M. Fetz, dommage qu'il ne soit pas là parce qu'il ne saurait plus où se mettre. Une fois M. Grossenbach était tellement saoul qu'il a voulu faire pipi dans la fontaine au milieu de la Grand'Place, mais il est tombé dedans et depuis ce temps j'aurais jamais cru que quelqu'un puisse inventer des jurons pires que les siens, surtout pas ma mère.

D'abord je pense qu'elle dit tout ça à cause de ce que M. Fetz a fait aux petits vieux de l'asile, et puis je comprends qu'elle est surtout en colère contre lui parce qu'il connaît le secret des Alpinistes.

À la fin elle dit à François et au docteur de se taire, malgré qu'elle est la seule à parler, et elle ferme les yeux pour mieux réfléchir, ses narines se pincent toutes seules et son nez devient pointu. Le docteur veut lui demander quelque chose, mais il préfère attendre et c'est seulement quand il n'est plus capable de retenir son souffle qu'il dit :

— Enfin toi tu le connais ce Fetz, est-ce que c'est le genre de type capable de nous dénoncer ?

— Oh oui, deux fois plutôt qu'une, dit ma mère, mais si on le laisse tranquille il nous fichera la paix, il sait très bien qu'on a tout ce qu'il faut pour le faire mettre en prison pour le restant de ses jours. Malgré tout, tu ferais mieux de descendre tout de suite à Genève pour avertir les autres, tu connais la consigne. Moi je reste ici et je m'occupe de Voëgler.

— Tu veux parler de l'Alpiniste, dit François.

— Oui bien sûr, dit-elle, pourquoi ? Qu'est-ce que j'ai dit ?

— Tu as dit Voëgler.

— C'est vrai ? Et bien je me suis trompée, voilà tout ! Quelle importance ?

— Tu ne t'es pas trompée tant que ça, dit le docteur, je voulais justement vous dire que le camarade est mort lui aussi.

Ils se regardent tous les trois, ils ne savent plus quoi dire, ça fait un gros silence et moi j'arrive plus à avaler ma salive. Ensuite ils entrent au salon et ma mère est drôlement étonnée de voir que je suis là, mais au lieu de me gronder elle s'assied au bord du fauteuil et elle prend ma tête sur ses genoux, comme si elle voulait m'empêcher de regarder le blessé qui est mort et qui a l'air de continuer à respirer.

Au bout d'un moment le docteur dit :

— Alors, qu'est-ce qu'on fait ?

— On ne peut rien faire tant qu'il est ici, dit François, il faut que vous trouviez le moyen de l'emmener. De mon côté je vais faire disparaître tout ce qui peut nous trahir dans la maison.

— Pourquoi, dit ma mère, on ne risque rien. Tu n'as tout de même pas l'intention… ?

— Je regrette, dit François, mais Fetz ne s'en tirera pas comme ça. Il pourra bien raconter ce qu'il voudra à la police, il n'a pas de preuves tandis que nous on a les photographies et tout le reste.

— Tu sais ce que ça veut dire ? dit ma mère. Si tu fais ça, le réseau est brûlé et on risque tous de se retrouver où je pense, et toi avec.

Comme j'ai ma tête appuyée contre elle, j'entends la moitié de ce qu'elle dit depuis l'intérieur. Je sais qu'elle n'a pas fini de se disputer avec François, mais malgré tout je me sens bien, c'est la première fois qu'elle me prend comme ça et me caresse les cheveux.

— Et les camarades qui sont de l'autre côté, qu'est-ce que vous en faites? dit le docteur. Vous savez pourtant ce qu'ils risquent si les Allemands les attrapent.

— Eh bien il n'y a qu'à les prévenir au plus vite, dit François.

Ma mère et le docteur essayent de lui expliquer qu'ils sont d'accord avec lui pour dire que ce qui se passe à l'asile est absolument dégoûtant, mais ils croient que Fetz ne pourra plus continuer maintenant qu'il sait qu'on le surveille, alors à quoi ça sert de le dénoncer?

— Et la justice, qu'est-ce que vous en faites? dit François.

— Oh, laisse la justice tranquille! dit ma mère. Moi ça me fait rien de savoir que Fetz est en liberté si ça nous permet de continuer à faire passer des centaines de Juifs. Tu dis que le réseau est brûlé aux Courtils, je n'en suis pas aussi sûre et de toute façon on peut l'installer ailleurs. Seulement pour ça il ne faut pas se faire repérer et si Fetz parle, même sans preuves, la police va nous avoir à l'œil.

— Mais mon oncle Perruchet... dis-je.

— Oui je sais, il a promis à ta mère de ne pas la dénoncer, dit François, mais ça ne veut pas dire qu'il pourra l'aider si elle continue à faire des imprudences. En attendant tu ferais mieux d'aller à l'école, sinon ta maîtresse va finir par se poser des questions.

Ce n'est pas du tout ce que je voulais dire au sujet de mon oncle et je ne comprends pas pourquoi François ne leur a pas encore parlé du Labyrinthe, mais je n'ai pas le temps de poser la question parce qu'il est tout à coup pressé de me voir partir.

— Vous n'avez pas peur qu'elle bavarde ? dit le docteur en montrant le corps de l'Alpiniste.

— Oh non, elle sait tenir sa langue, dit François. Ne faites pas la même erreur que moi, elle n'est pas comme les autres enfants de son âge.

Il m'accompagne sur le perron et, avant de me laisser partir, il me demande à voix basse ce que je ferais au sujet de M. Fetz si j'étais à sa place.

— Moi je lui ferais la même chose qu'il a faite à M. Voëgler, dis-je. On devrait l'attacher et rien lui donner à boire pendant une semaine.

— Je comprends, dit François, mais je ne peux pas faire ça, même si j'en ai envie.

— Pourquoi pas ?

— Parce que ça, c'est la guerre, dit-il. Non, ce que je veux savoir c'est si je dois aller tout raconter à la police. Qu'est-ce que tu en penses, toi ?

— Je crois que vous devez le dénoncer, dis-je, autrement ça serait pas juste.

Après la classe, Mlle Grémillet attend que les autres élèves soient sortis et elle me fait venir près de son pupitre pour demander ce qui ne va pas avec moi.

— Pourtant tu n'es pas bête, dit-elle, seulement voilà tu n'es pas à ton affaire. Est-ce qu'il se passe quelque chose à la maison qui te chicane ?

— Je ne crois pas, dis-je.

Mlle Grémillet me demande alors si on a déjà pensé à faire examiner mes yeux et mes oreilles et elle me dit de reculer de trois pas. Ensuite elle dit tout doucement : « Septante-trois ».

— Tu as entendu ce que je viens de dire ? dit-elle.

— Oh non, vous parlez trop bas.

Elle a l'air contente et elle recommence en disant cette fois : « Quarante-sept ».

— J'ai rien compris, dis-je.

C'est pas complètement vrai mais j'ai peur qu'elle me pose des questions sur ma mère et sur ma tante Rachel. Elle continue comme ça à me dire des chiffres de plus en plus fort et elle a l'air de plus en plus contente de voir que j'arrive pas à les répéter.

— Voilà voilà, cette fois on y est ! dit-elle. À partir de demain tu t'installeras au premier rang, juste devant mon pupitre.

Elle me donne un caramel et me laisse partir en me disant que je suis une petite bonne femme et qu'elle passera bientôt chez nous pour parler de mes ouïes avec ma tante.

En sortant de l'école je vois Alain Deshusses qui m'attend pour rentrer au village avec moi. Je lui raconte ce qui s'est passé avec Mlle Grémillet et on joue à se dire des chiffres le plus doucement qu'on peut. À la fin on se dit des mots sales, c'est drôlement amusant. D'ailleurs c'est moi qui gagne parce que je dis trois fois : « tu-pues-du-cul » et qu'Alain n'est pas capable de le répéter.

Ce soir ma mère est venue au café et j'ai juste eu le temps d'aller l'embrasser avant qu'elle s'enferme avec mon oncle Perruchet dans la salle du fond. Elle était toute décoiffée et elle avait les yeux rouges, j'aurais bien voulu la consoler mais les choses qui lui font du souci sont sûrement trop compliquées pour moi. Tout de même, avant d'aller me coucher je demande à ma tante Rachel si elle sait où ma mère met son passeport.

— Je n'en sais rien, dit-elle, il doit être dans ses affaires à l'asile. Pourquoi tu me demandes ça ?

— Pour rien, je voulais seulement savoir.

Je me dis alors que la prochaine fois que j'irai à Pré-l'Évêque, je tâcherai de trouver le passeport de ma mère pour écrire au crayon, sur la ligne des signes particuliers : *Aimée par Catherine.* Je ne suis pas sûre que ça lui fera autant plaisir que si c'est François, mais ça n'a pas d'importance, ce sera au moins la vérité.

CHAPITRE XIV

À Entremont, juste en face de l'école, il y a une grande maison avec un jardin sans aucune barrière autour. C'est le Foyer des Convalescents et M. Guillemin nous a dit une fois que la maison est un bijou d'architecture. Il a sûrement raison, malgré qu'on ne peut presque rien voir à cause du lierre qui recouvre les murs jusqu'au toit.

Des tas de petits vieux habitent dans cette maison, mais ça fait rien, ça ne ressemble pas du tout à Pré-l'Évêque. D'abord c'est tout petit en comparaison et puis ça n'appartient pas à la Ville, mais à des sœurs catholiques qui se dévouent pour les vieillards par amour de leur prochain. Elles ont un costume avec des plis partout et des poches secrètes, et même en hiver elles se promènent pieds nus dans des espèces de sandales de corde, c'est dangereux pour les poumons mais elles ont l'habitude.

C'est mal fait parce qu'il faut absolument être

Genevois pour avoir le droit d'aller à l'asile de Pré-l'Évêque, et il faut être catholique pour pouvoir entrer au Foyer des Convalescents, aussi je me demande souvent ce que font les gens qui ne sont rien du tout quand ils deviennent trop vieux pour vivre tout seuls. J'ai pensé à une bonne combine, c'est d'aller demander à un Genevois catholique qui a droit à deux places de leur en donner une, mais M. Viret dit que les choses ne sont pas aussi simples que ça.

Une fois, j'ai entendu ma tante Rachel qui disait à mon oncle qu'elle était en retard et ça les avait rendus très inquiets tous les deux. Mon oncle a regardé ses équations dans son calepin et quand je lui ai demandé pourquoi ma tante était en retard, il a d'abord dit qu'il oubliait régulièrement que les murs avaient des oreilles et puis il m'a expliqué qu'une femme avisée devait toujours boucler ses comptes à la fin de chaque mois.

— Ma tante n'a pas eu le temps de les finir ? dis-je.

— Non, dit-il, mais elle va faire son possible.

À partir de ce moment-là ma tante est devenue de plus en plus nerveuse et j'aurais bien voulu pouvoir l'aider, mais je n'étais même pas bonne en calcul, alors pour les comptes du mois ç'aurait été encore pire. Ma tante s'est fait tellement de souci qu'elle a finalement attrapé une appendicite et qu'elle a dû aller à l'hôpital pour se faire opérer. (C'était pendant les grandes vacances.) Juste avant qu'elle revienne, mon oncle m'a dit qu'il comptait sur moi pour lui donner un coup de main pendant sa convalescence.

— Alors elle va mourir? dis-je, et je me suis mise à pleurer.

Mon oncle ne comprenait pas pourquoi je disais ça, mais on a finalement réussi à s'expliquer et j'ai vu que tout ça c'était la faute des petits vieux aux sœurs. À cause d'eux, j'avais toujours cru qu'un convalescent c'était quelqu'un qui était malade et qui allait mourir, alors que c'est tout le contraire. J'ai demandé à mon oncle pourquoi on les appelait comme ça et il m'a dit que c'était parce qu'ils avaient des soucis d'humanité.

Mlle Grémillet nous fait beaucoup chanter pendant la classe et comme on ouvre les fenêtres, les petits vieux peuvent nous entendre et l'autre jour ils ont demandé qu'on vienne leur donner un récital.

On a fait plusieurs répétitions et aujourd'hui à la fin de l'après-midi on se peigne et on va en rang jusqu'à la maison des Convalescents, de l'autre côté de la rue.

À l'entrée il y a des petits casiers avec des patins de feutre pour pas salir les parquets, mais on est trop nombreux et la sœur qui vient nous ouvrir la porte dit qu'elle va faire une exception pour nous.

C'est la première fois que je viens dans cette maison, elle est beaucoup plus vieille dedans que dehors et j'ai l'impression que pour vivre ici les gens sont obligés d'être très pauvres. Malgré tout c'est beaucoup plus sympathique qu'à Pré-l'Évêque, ça se sent à des petites choses qu'on ne voit pas du premier coup. Par exemple, comme il fait très froid, les sœurs se sont arrangées pour chauffer la maison avec des fausses fleurs et des plantes vertes, il y en a partout et ça met de la gaieté.

Tous les petits vieux ont été rassemblés dans une grande véranda et comme il fait encore plus froid qu'ailleurs, on leur a mis un manteau d'hiver et des passemontagnes. Ils ont une drôle d'allure, mais ça ne les empêche pas d'être contents de nous voir et de nous faire des petits signes quand on guigne depuis les coulisses, derrière les paravents qui sont dressés de chaque côté du podium.

Pendant que les autres commencent le spectacle avec des chants patriotiques, moi, Thérèse et Max on va se changer dans la pièce à côté, parce qu'on donne une saynète comique. Une sœur vient m'aider à me maquiller avec du noir de bouchon et quand je lui dis que je ne me sens pas bien, elle va chercher un suppositoire de Cibalgine, mais malgré ce qu'elle m'explique je ne vois pas comment quelque chose qu'on se met dans le derrière peut faire partir un mal de tête plus vite qu'une pilule qu'on prend par la bouche.

— Où est-ce que je vais le mettre ? dis-je.

— Mais… dans ton tutu ! dit la sœur.

— Ça je le sais bien, seulement j'aimerais avoir un endroit pour me cacher.

Elle me dit d'entrer dans un placard et elle referme la porte derrière moi. Comme je suis dans le noir et que j'ai les doigts gelés, j'ai de la peine à sortir le suppositoire de son papier d'argent et après, j'ai juste le temps de l'enfiler avant que Mlle Grémillet arrive en courant pour nous dire que c'est notre tour, et elle me pousse sur le podium en me recommandant de ne pas oublier d'ar-ti-cu-ler.

Je dois marcher dans tous les sens en faisant de grandes enjambées pour bien montrer que je suis une vraie négresse, mais à peine j'ai fait un pas qu'il arrive quelque chose d'épouvantable. Je sens que le supposi-toire est en train de ressortir à moitié et je m'arrête en serrant les fesses de toutes mes forces, tellement j'ai peur qu'il tombe par terre devant tout le monde. Je dois faire aussi un effort terrible pour ne pas aller le pousser avec le doigt et à la fin je traverse le podium en marchant à petits pas comme une Japonaise, mais à part Mlle Gré-millet qui me regarde avec la bouche ouverte, personne ne s'aperçoit de rien.

Dans l'histoire je suis très triste parce que je suis une négresse, mais en faisant mon gruyère je tombe dans la cuve et en ressortant je suis devenue toute blanche et tout le monde me salue avec des révérences. Malheureu-sement, pendant que je dors, Max et Thérèse qui sont un rat et une souris viennent manger ma nouvelle peau et quand je me réveille, je suis de nouveau aussi noire et vilaine qu'avant, alors je vais me noyer dans le lac.

En général je fais rire tout le monde en roulant mes yeux comme des billes et Mlle Grémillet a dit une fois devant toute la classe que mes mines sont impayables. Je ne sais pas ce qui se passe aujourd'hui avec les petits vieux, mais ils ne rient pas beaucoup et après, quand on chante des chansons de Jacques Dalcroze qui ne sont pourtant pas tristes du tout, ils se mettent à pleurer sans faire de bruit. Ils ont de vraies larmes qui coulent toutes seules sur leurs joues toutes ratatinées et nous, on ne sait plus si on doit continuer à chanter ou quoi.

On regarde du côté de Mlle Grémillet, mais elle ne sait pas ce qui se passe parce qu'elle est restée dans les coulisses avec son diapason et elle fait semblant de chanter avec nous en articulant de toutes ses forces. En même temps elle essaye de sourire pour nous rappeler qu'il faut garder la mine réjouie, mais comme elle est très énervée elle fait plutôt une horrible grimace sans s'en rendre compte.

Mlle Grémillet nous a dit un jour que son frère était pompier et ça m'a fait drôle parce que je n'arrivais pas à m'imaginer qu'elle avait un frère comme tout le monde et encore moins qu'elle pouvait avoir un papa et une maman. De toute façon, en plus d'être pompier, il est spécialiste des croûtes au fromage et c'est pour ça qu'elle lui a demandé de nous accompagner au Foyer des Convalescents.

Pendant qu'on chantait, il s'est installé à la cuisine et après, quand on arrive au réfectoire, il nous attend avec une provision de croûtes comme j'en ai jamais vues. Elles prennent toute la place sur l'assiette et elles sont aussi gonflées que les chaussons aux pommes de Mme Montfavon.

Les petits vieux se mettent à rire et à applaudir et au début je suis un peu furieuse parce que les croûtes au fromage ont l'air de leur faire encore plus plaisir que notre spectacle. Ils commencent à les manger en fermant les yeux et une dame qui est bossue de partout dit que rien que de sentir l'odeur ça lui remplit l'estomac. Tout de même, elle se met à en manger elle aussi pour de vrai, mais au bout d'un moment je vois qu'elle prend seulement le fromage du dessus et qu'elle laisse le morceau de pain. Mon oncle m'a souvent dit que ça ne se fait pas et je me demande si ça tient aussi pour quelqu'un qui n'a presque plus de dents.

Parmi les petits vieux, il y en a qui ne peuvent pas manger tout seuls parce qu'ils sont trop convalescents et les sœurs les aident en leur donnant des petits morceaux à la cuiller, et de temps en temps, quand elles pensent que personne ne les regarde, elles en chipent un pour elles. Ça fait qu'au bout d'un moment Mlle Grémillet dit à son frère de venir dans notre coin et elle lui demande s'il a encore assez de fromage pour une nouvelle fournée.

— On va essayer, dit-il, mais c'est pas possible, ils n'ont pas mangé depuis une semaine !

La directrice de la maison fait alors un discours pour nous remercier et pour dire qu'elle a des petits cadeaux pour nous. Elle nous donne à chacun une enveloppe mais on est déçu, c'est rien qu'une image avec des anges et des rubans dorés.

À ce moment je sors pour aller aux toilettes, parce que même si le suppositoire est fondu depuis longtemps, j'ai quand même quelque chose qui me gêne, mais je vois que c'est seulement une impression. En revenant je me trompe de chemin à cause de l'obscurité et j'arrive dans un long couloir au bout duquel il y a une porte vitrée avec une lumière qui brille derrière. Tout à coup la porte s'ouvre et une sœur sort en portant un plateau plein de croûtes au fromage qui fument. Elle ne peut pas me voir dans le noir et je ne sais pas quoi faire, parce que si je commence à parler elle risque d'avoir tellement peur qu'elle va lâcher son plateau. Alors je m'aplatis contre le mur en attendant qu'elle passe. Elle marche à petits pas, elle veut sûrement prendre tout son temps pour se nourrir avec l'odeur, et quand elle arrive près de moi je l'entends qui parle tout seule, même qu'elle répète toujours la même chose : « Merci mon Dieu, merci mon Dieu, merci mon Dieu... »

C'est vraiment rigolo, mais il doit y avoir quelque chose de spécial dans cette maison, parce que ça fait comme les chansons de Jacques Dalcroze pour les petits vieux, ça me donne plutôt envie de pleurer.

Je marche derrière la sœur sans faire de bruit et j'arrive au réfectoire au moment où Mlle Grémillet dit au revoir à tout le monde. Quand on sort de la maison elle nous embrasse l'un après l'autre en nous disant qu'on vient de faire une belle charité.

Je rentre au village avec Fernand Pasche qui déchire devant moi l'image qu'on lui a donnée. Il veut que je fasse la même chose avec la mienne et on se bat, mais c'est moi qui gagne parce que je cours au moins deux fois plus vite que lui.

CHAPITRE XV

Depuis deux jours M. Voëgler est dans la crypte de l'église et j'y pense presque tout le temps. Je sais bien qu'il est mort, mais je ne peux pas m'empêcher de me dire qu'il doit avoir froid et que même s'il ne bouge plus, il peut continuer à penser en secret.

Ce soir mon oncle a demandé à M. Viret de lui passer les clés de l'église. On n'a pas de pasteur aux Courtils mais on emprunte celui de Boischâtel chaque fois qu'on en a besoin. Le reste du temps c'est M. Viret qui s'occupe de mettre des fleurs dans l'église et de fermer les portes à six heures du soir.

— Les clés, à cette heure-ci? dit M. Viret. Qu'est-ce que tu veux y faire?

— Je veux vérifier quelque chose, dit mon oncle, je t'expliquerai plus tard.

M. Viret est allé chercher les clés chez lui et quand il est revenu, il m'a dit que sa femme voulait me voir.

— Tout de suite ? dis-je

— Non, tu peux y aller demain matin, dit-il, comme c'est jeudi tu n'as pas d'école.

Je n'ai pas osé lui demander pourquoi Mme Clothilde veut me parler et je n'ai pas osé non plus lui dire que je n'ai pas envie d'y aller. Depuis que je l'ai vue dans les jumelles en train d'essayer des chapeaux bizarres, elle me fait un peu peur.

Quand mon oncle Perruchet monte à l'appartement je lui demande s'il a l'intention d'aller voir M. Voëgler pendant la nuit.

— Pourquoi tu me demandes ça ? dit-il.

Comme il n'a pas dit non, je comprends que j'ai deviné juste et je lui donne le paquet que j'ai préparé, en lui demandant de le mettre à côté du cercueil.

— Je peux regarder ce qu'il y a dedans ? dit-il

— Oh, c'est rien, dis-je.

— Ça pèse quand même assez lourd pour être rien.

Il écarte la ficelle et lève un coin du couvercle. Je me sens un peu bête quand il voit que c'est rien qu'une pomme avec des biscuits et une barre de chocolat, et lui aussi il ne sait pas s'il doit garder la boîte ou me la rendre. À la fin il s'assied sur ses talons pour me regarder droit dans les yeux et il me dit que M. Voëgler n'aura plus jamais faim, parce qu'il est mort.

— Je sais, dis-je, mais c'est pas pour qu'il le mange.

— Alors pourquoi ?

— C'est juste comme ça, c'est parce que même s'il est mort il sera plus tranquille de savoir qu'on lui a préparé un pique-nique.

— Je comprends, dit mon oncle, je vais le lui apporter, tu peux compter sur moi.

Mais quand je vais au lit il n'est pas encore parti, il est drôlement courageux d'attendre aussi tard, surtout qu'il n'y a pas d'électricité dans l'église et qu'il va devoir s'éclairer avec une lampe de poche. Quand ma tante Rachel vient m'embrasser, je lui dis que je ne suis pas tranquille.

— Tu es stupide, dit-elle, ça fait des années qu'on vit à côté du cimetière, tu devrais avoir l'habitude de ces choses.

Elle a raison, seulement c'est pas pareil pour M. Voëgler, lui je l'ai vu quand il était vivant, tandis que dans les corbillards qui montent tous les jours aux Courtils, il y a seulement des cercueils que je connais pas.

Ce matin je vais chez Mme Clothilde, il pleut et il fait froid, les feuilles des arbres commencent à tomber. Dans la maison, je croise un gros monsieur qui descend l'escalier en sifflant, il est complètement chauve mais il a une moustache qui lui rentre à moitié dans la bouche. Quand il arrive en bas il lève la tête pour me regarder et il me vise avec sa canne comme si c'était un fusil, en faisant : « Pan ! Pan ! »

J'attends qu'il soit parti pour aller sonner à la porte de l'appartement et comme personne ne vient répondre, j'entre et je vois que le lit de Mme Clothilde est vide, mais ça fait tellement longtemps qu'elle ne l'a pas quitté qu'il y a un creux dans le matelas à sa place.

Je me dis que je ferais mieux de partir, mais j'entends quelqu'un qui m'appelle tout doucement et je trouve Mme Clothilde étalée par terre de tout son long. Elle ne bouge pas mais sa tête est tournée de mon côté, elle me regarde et même elle a l'air de trouver ça plutôt amusant. C'est la première fois que je la vois habillée pour sortir, elle a une robe longue avec des tas de dentelles et des bottines avec une rangée de boutons sur le côté. J'ai déjà vu des dames habillées comme ça sur les images que Mlle Lachenal, la couturière de ma tante, a épinglées contre le mur de son salon à Boischâtel.

— Tu vois Catherine, j'ai fait une folie, à mon âge! dit Mme Clothilde. Allez, aide-moi à présent!

Elle n'est pas lourde du tout, je pourrais presque la porter toute seule jusqu'à son lit, mais elle me dit de l'asseoir dans le grand fauteuil. Après, elle veut que je lui apporte son miroir ovale et pendant qu'elle se recoiffe avec un gros peigne en argent, je la regarde sans arriver à croire que c'est vraiment elle, tellement elle a l'air petite et fragile.

— J'ai marché! J'ai marché, tu m'entends? dit-elle. Mais j'ai perdu l'habitude, mes jambes sont comme du coton.

— Je croyais que vous étiez paralysée.

Elle se met à rire en gardant la bouche fermée et elle se tape avec le doigt sur la tête en disant :

— C'est là que je suis paralysée, pas ailleurs! J'aurais bien voulu leur montrer à tous, oui j'aurais voulu descendre sur la place et les accompagner jusqu'à la tombe du Docteur.

— Quel docteur? dis-je.

— Le docteur Voëgler, voyons!

Elle m'explique que M. Voëgler n'a pas seulement inventé des tisanes mais qu'il a été aussi un véritable savant connu dans le monde entier. Il a eu une clinique près de Montreux et des tas de rois et de reines sont venus se faire soigner chez lui.

— Si on l'avait écouté, dit-elle, on n'en serait pas là aujourd'hui… Moi je l'ai connu quand il avait vingt-huit ans, c'était un bel homme, tu peux me croire! Il demandait très cher pour les riches, mais quand on n'avait pas de quoi il ne voulait pas entendre parler d'argent. Et tu sais ce qu'on lui a fait à l'asile?

— Oui je sais, mais les gendarmes vont venir pour mettre M. Fetz en prison.

Mme Clothilde continue de se regarder dans son miroir en faisant des grimaces et tout à coup sa voix devient pointue:

— Tu crois ça, hein? Pauvre petite sotte, tu as encore beaucoup à apprendre! Tu t'imagines peut-être que ton François va aller vider son sac devant ces messieurs de la police, eh bien tu te trompes, il ne dira rien.

— C'est pas vrai! Et d'abord qui c'est qui vous l'a dit?

— Personne ne me l'a dit, mais je le sais, je sais tout,

c'est plus fort que moi! Maintenant si tu crois que ça m'amuse de deviner toutes ces vilaines histoires…

Mme Clothilde ne dit plus rien pendant un moment, et puis elle commence à pleurer sans renifler et elle dit qu'il ne faut pas l'écouter parce qu'elle est rien d'autre qu'une vieille radoteuse.

— La guerre rend tout le monde méchant, dit-elle, même ceux qui ne la font pas.

— Oh non, François n'est pas méchant, c'est même pour ça qu'il veut que M. Fetz soit puni.

Mme Clothilde dit qu'elle sait tout ça depuis longtemps, mais qu'elle sait aussi que François ne pourra jamais dénoncer Albert Fetz.

— Pourquoi pas? dis-je. Il le déteste.

— Oui, mais il déteste encore plus la police.

Ça c'est trop fort et je peux pas m'empêcher d'être un peu impolie avec Mme Clothilde en lui disant qu'elle est complètement folle, mais elle ne se fâche pas et elle dit que même si elle est folle, ça ne veut pas dire qu'elle n'a pas raison de temps en temps. Elle m'explique alors que ce n'est pas parce que François n'est pas du côté de la police qu'il est forcément du côté des méchants, il y a de la place entre les deux. À la fin elle demande :

— Est-ce que tu l'aimes un petit peu?

— Oh! pas seulement un petit peu, dis-je.

Elle se lève à moitié de son fauteuil et elle se met à parler à voix basse, comme si elle avait peur qu'on puisse l'entendre :

160

— Alors si tu l'aimes, la meilleure chose que tu puisses faire pour lui c'est de l'aider à se taire.

— Mais pourquoi?

— D'abord parce que ça ne servira à rien de parler et ensuite parce qu'il y a autre chose.

— C'est quoi?

Mme Clothilde dit que c'est difficile à expliquer, mais c'est pas vrai parce que ça ne lui prend pas plus d'une minute. Elle me raconte que François a fait partie en France d'une organisation qui ressemblait à celle des Alpinistes, mais les Allemands l'ont arrêté et l'ont forcé à dire des choses qu'il ne voulait pas.

— Ils ont fait comment? dis-je.

Mme Clothilde répond qu'elle ne veut pas parler de ça parce que ça n'a plus d'importance. Après, les Allemands ont voulu que François continue à travailler pour eux, il a fait semblant d'accepter mais il s'est enfui et il est venu se réfugier en Suisse.

— Et s'il n'avait rien dit, dis-je, est-ce qu'on l'aurait tué comme M. Voëgler?

— Ça se peut, dit Mme Clothilde. Ah, les voilà qui traversent la Grand'Place, tu devrais aller les rejoindre.

Je vais regarder par la fenêtre et je vois qu'un petit cortège entre dans le cimetière derrière le cercueil de M. Voëgler. Je sais que Mme Clothilde peut voir tout ce qui se passe en bas grâce au miroir accroché au plafond de sa chambre, mais là elle est assise dans son fauteuil et je me demande comment elle a fait pour deviner, ça doit être de nouveau plus fort qu'elle.

— Quand tu verras François, dit-elle, dis-lui de venir me voir le plus vite possible, il faut absolument que je lui parle. Allez, adieu petite, descends vite, ce cercueil-là est beaucoup trop lourd pour attendre.

Quand j'arrive près de la porte, je me retourne et je vois que Mme Clothilde me regarde avec des yeux tout plissés et me fait un grand signe de la main pour me dire au revoir, comme si j'étais très loin d'elle, comme si elle était à sa fenêtre et moi à l'autre bout de la Grand'Place.

En sortant de la chambre je me cogne presque contre M. Viret qui attend dans le vestibule et je me demande s'il est là depuis longtemps. Je le connais bien parce que je le vois souvent au café où il fait des discours pour dire qu'on ne doit pas seulement surveiller nos frontières, mais qu'il faut aussi se protéger contre des gens qui se trouvent en Suisse et qui n'ont rien à y faire.

Il dit aussi des tas d'autres choses, mais en général personne ne lui répond, peut-être parce qu'il est trop poli. Il ne crie jamais et il n'a jamais l'air d'être vraiment sûr d'avoir raison. La première fois que François s'est fâché contre lui, il n'a pas arrêté de dire : « Oui, oui, je suis d'accord avec vous », mais dès que François s'est tu il a recommencé à dire exactement la même chose qu'avant.

Je croyais qu'il était toujours poli, même quand il rentrait à la maison, et ça m'étonne de le voir comme ça dans le corridor, il me demande tout de suite ce qui s'est passé à la Chaumine l'autre soir après la réunion spirite et je comprends qu'il était là quand Mme Clothilde a eu sa transe et qu'il a entendu ce qu'elle a dit sur ma mère et sur les Alpinistes.

— Je ne sais pas, dis-je.

— Tu es une petite menteuse! Allez, débarrasse le plancher à présent.

Il entre dans la chambre et il devient encore plus furieux en voyant que Mme Clothilde n'est pas dans son lit et qu'elle a mis sa vieille robe et ses bottines, et il va la prendre par le poignet.

— Charles, mais tu me fais mal!

— Écoute vieille folle, cette fois tu vas me dire tout ce que tu sais, autrement ça va mal tourner. Qu'est-ce que c'est que cette histoire de labyrinthe, hein?

Mme Clothilde se met à gémir et à pleurer et je pars sans faire de bruit, j'ai peur que M. Viret se rappelle que je suis là et qu'il m'attrape pour me tordre les bras à moi aussi et me forcer à dire tout ce que je sais sur n'importe quoi.

Il y a pas mal de gens autour de la tombe de M. Voëgler, mais presque pas de petits vieux de l'asile. Je vais vers François qui me prend tout de suite la main et qui se penche vers moi pour me dire qu'il est content que je sois venue.

Les employés du cimetière ont attaché le cercueil avec des cordes pour le descendre au fond du trou et ils font attention de ne pas lâcher la corde trop vite et d'aller tous ensemble à la même vitesse. Je me dis que Mme Clothilde n'a pas utilisé une figure quand elle a dit que le cercueil était beaucoup trop lourd pour attendre, c'est la vérité.

Comme personne ne pleure, je me demande si les enfants de M. Voëgler sont là et c'est alors que je reconnais le docteur qui était à la Chaumine l'autre jour et à côté de lui, un des Alpinistes que j'ai vus dans la cave. Je regarde aussi les autres gens qui nous entourent et je comprends tout.

— Il n'est pas tout seul, dis-je à François en montrant le fond du trou.

J'ai parlé tout doucement, mais comme il n'y a pas de bruit dans le cimetière, presque tout le monde a entendu et même si personne ne dit rien, je vois bien qu'il se passe quelque chose. François se mord les lèvres et mon oncle ferme les yeux très fort, comme s'il poussait à la toilette et que ça ne voulait pas venir.

Le pasteur a entendu lui aussi et il arrête de lire dans son livre pour dire que la vérité sort de la bouche des enfants. Après il me regarde et il dit :

— Vous avez raison, Mademoiselle, il n'est pas tout seul.

Je pense d'abord que le pasteur a compris ce que j'ai voulu dire, mais ce n'est pas si sûr que ça parce qu'il se met à expliquer des choses sur le bon Dieu et sur la vie éternelle. Pendant qu'il parle, un monsieur qui est à côté de lui a l'air d'avoir du chagrin et se cache le bas de la figure derrière sa main, et ses épaules commencent à trembler. Les autres personnes tournent la tête pour ne pas le regarder et je vois que je me suis complètement fichue dedans, en réalité tout le monde fait un effort terrible pour ne pas attraper son fou rire. À la fin il y en a deux qui ne peuvent plus tenir et qui partent à toute vitesse pour aller se cacher derrière des buissons. Le pasteur fait semblant de ne rien voir, mais quand l'enterrement est fini il part sans serrer la main à personne.

À la sortie du cimetière presque tout le monde vient boire quelque chose au café, et ma mère ferme la porte à clé pour qu'on soit tranquille. Après, elle donne un coup de main à ma tante Rachel pour servir aux tables, puis elle s'assied à côté de nous et François lui demande pourquoi elle n'est pas venue à l'enterrement.

— J'avais trop honte, dit-elle.

— Qu'est-ce que tu as dit ? dit François.

Il n'a pas compris parce qu'elle a parlé trop doucement, et quand je vois qu'elle baisse la tête et ne veut pas répéter, je le fais à sa place. François ouvre la bouche pour dire quelque chose, mais il se retient, il pose seulement sa main sur celle de ma mère et comme elle a le poing serré, il l'oblige à déplier tout doucement chacun de ses doigts. À la fin il dit quand même :

— Tu sais, on est tous dans le même bateau, tu n'es pas plus responsable que nous autres.

— Tu dis ça pour me consoler, dit-elle, mais ce n'est pas le bon moyen. Moi j'étais à l'asile pendant que ça se passait et je n'ai rien fait, tu trouves ça normal ?

— Oh non, dit François, je ne trouve pas ça normal, mais tu peux bien te sentir coupable jusqu'à la fin de tes jours, ça va t'avancer à quoi? Tout au plus ça te donnera une bonne excuse pour ne pas agir.

— On dirait que vous parlez pour vous, dit le docteur. (Il n'aime pas François.)

Les amis de ma mère qui sont assis à la table à côté de la nôtre ont tourné leur chaise et écoutent la conversation sans rien dire. Celui qui a commencé le fou rire au cimetière est maintenant très sérieux, et quand il voit que je le regarde il me regarde aussi pendant un bon moment, mais c'est lui qui lâche le premier. Il a l'air de se demander ce que je fais ici au milieu de tous ces gens et moi aussi ça commence à me faire drôle, surtout que ma tante Rachel a dit l'autre soir que toutes ces histoires me feront vieillir avant l'âge. Ça m'a fait réfléchir, parce que si je vieillis sans avoir le temps de grandir je vais ressembler à une petite naine toute ridée, alors je ferais peut-être mieux de rester avec des filles et des garçons de mon âge, même si c'est beaucoup moins intéressant.

François ne répond pas au docteur mais il sort une lettre qu'il a trouvée ce matin dans sa boîte, juste avant de venir au cimetière.

— C'est la police, dit-il, je ne sais pas ce qu'elle veut, je dois me présenter au poste de Boischâtel demain matin. Ça m'inquiète.

Il n'est pas le seul à être inquiet et quand je vois que les amis de ma mère se rapprochent pour faire un rond autour de la table, je comprends que Mme Clothilde avait raison et que François est maintenant d'accord avec les Alpinistes pour laisser M. Fetz tranquille.

Avant, François était comme moi je suis dans la classe, il restait tout seul dans son coin. À présent les autres l'écoutent quand il dit quelque chose, j'aimerais bien savoir comment il a fait pour réussir ça.

Tout le monde essaye de deviner pourquoi la police veut voir François et les gens lui donnent des tas de conseils sur ce qu'il faut répondre si on lui pose des questions embêtantes.

— À ta place, je ferais surtout attention aux petites choses qui n'ont l'air de rien, dit ma mère. Ils vont peut-être essayer de t'endormir en te faisant parler de la pluie et du beau temps, et à un moment donné tu risques de lâcher le morceau sans même t'en apercevoir.

— Pour qui tu me prends ? dit François.

— Excuse-moi, dit-elle, je ne voulais pas te blesser.

En sortant du café je m'arrange pour dire à François que je veux lui parler et on va s'asseoir sur le bord de la fontaine, au milieu de la Grand'Place. Le soleil est tout froid et à part le bruit de l'eau on n'entend rien, c'est comme si le village s'était rempli de silence pour l'enterrement de M. Voëgler.

— J'ai une commission pour vous, dis-je, c'est Mme Clothilde qui voudrait vous voir tout de suite.

— Ah bon, dit François, tu as été chez elle ce matin ?

— Oui.

— Et qu'est-ce qu'elle t'a dit ?

— Elle a dit que j'étais bête de croire que vous alliez dénoncer M. Fetz.

— Je vois, dit-il. C'est vrai que j'ai décidé de ne rien dire, mais ce n'est pas toi qui es bête dans cette histoire. Seulement il y a des choses qui sont difficiles à comprendre, tu comprends?

— Oui.

J'ai envie de dire à François que je n'ai jamais cru à cette histoire de cafard qu'il m'a racontée la première fois que j'ai été lui rendre visite à la Chaumine, et aussi que je sais très bien ce qu'il voulait faire avec son pistolet, mais juste à ce moment ma mère s'approche en disant:

— Alors vous deux, c'est pas bientôt fini vos petites manigances?

Elle dit ça pour rire, mais en même temps je crois que ça l'agace un peu de voir que François et moi on n'a besoin de personne d'autre pour bien s'entendre.

— Il paraît que Mme Clothilde veut me voir tout de suite, dit François, qu'est-ce que je fais?

— Oh celle-là, elle commence à me fatiguer avec ses visions, dit ma mère. Quoi, qu'est-ce que tu veux?

— Il faut pas rester ici, dis-je.

— Pourquoi ça?

Je montre la fenêtre de Mme Clothilde en disant qu'elle peut nous entendre, j'ai l'impression de sentir son drôle de regard qui ricoche dans le miroir du plafond et qui nous tombe dessus. Ma mère rit en disant qu'elle ne croit plus aux sorcières depuis longtemps et elle s'assied sur le bord de la fontaine pour discuter avec François, mais au bout d'un moment elle s'énerve et elle regarde la maison des Viret en serrant les dents.

— Viens, je te raccompagne chez toi, dit-elle à François. Il faut qu'on discute encore de cette lettre, je suis vraiment inquiète.

— Moi aussi, dit-il.

Ma mère me dit d'aller jouer à quelque chose d'intelligent et elle me recommande de respirer par le nez si je fais des exercices violents. Elle a souvent des idées comme ça, mais ça ne dure pas longtemps. Une fois elle a voulu que je mange des carottes tous les jours à cause des vitamines, et une autre fois il fallait que je me lave les dents avec de l'eau salée. Heureusement mon oncle Perruchet m'a expliqué que c'est sa façon à elle de montrer qu'elle m'aime.

Comme je ne trouve pas de jeu intelligent je vais me promener au cimetière. Je repense à ce que Mme Clothilde m'a raconté au sujet de François, je ne veux plus maintenant qu'il dise aux gendarmes ce qui s'est passé à l'asile des vieillards. Bien sûr, je voudrais bien que M. Fetz aille en prison, mais je me dis aussi qu'il ne faut pas que ce soit François qui le dénonce, à cause de ce que les Allemands lui ont fait.

Pendant tout le reste de la journée je me demande ce que je peux faire pour l'aider, j'ai surtout peur qu'il recommence à avoir des idées noires et qu'il trouve un pistolet pour leur tirer dessus.

CHAPITRE XVI

En me réveillant ce matin j'ai une idée toute prête dans la tête, on dirait qu'elle est venue pendant mon sommeil, mais c'est impossible, on peut pas dormir et réfléchir en même temps. Je m'habille et je vais chercher la bible que M. Voëgler m'a donnée avant de mourir. Je l'ai mise en sûreté dans la cachette de ma tante Rachel, il faut monter au grenier et derrière des vieux tableaux il y a un petit passage qui conduit à une sorte de cagibi, juste sous le toit de la maison. Ma tante a entreposé dans un coin des boîtes de conserve et plusieurs caisses de bouteilles et elle m'a expliqué que c'est là qu'on ira se cacher toutes les deux, le jour où les Allemands arriveront en Suisse.

Je regarde dans la bible si je trouve les formules magiques dont M. Voëgler m'a parlé, mais je suis tout de suite découragée en voyant comme c'est écrit petit.

J'essaie quand même avec un passage que je choisis en fermant les yeux et je vais à la salle de bains pour me regarder dans la glace, parce que je suis née avec une petite tache au bord du menton, et même si mon oncle dit que c'est un grain de beauté moi je trouve que ça me donne un air de bohémienne. Ça fait que je lis à haute voix un bout d'histoire plein de numéros qui parle d'une autruche qui a failli écraser ses œufs à cause qu'elle a tellement de plumes qu'elle ne voit plus ses pieds, mais ça ne doit pas être le bon passage parce que la petite tache reste à la même place qu'avant.

Au petit déjeuner, ma tante Rachel me dit qu'elle a vu tout à l'heure François qui s'éloignait sur la route de Boischâtel, ça me rend furieuse après moi à cause du temps que j'ai perdu à faire des bêtises devant la glace. Dès que ma tante a le dos tourné, je vide mon bol de café au lait dans l'évier et je pars en courant pour essayer de rattraper François avant qu'il arrive au poste de police. Je sais que je vais manquer la moitié de l'école et que mon oncle Perruchet n'aura qu'à regarder dans son calepin pour savoir ce que j'ai fait à la place, ça ne m'empêche pas de continuer, je crois que l'amour me fait perdre la tête.

Il y a plein de soldats dans les rues de Boischâtel, ce n'est pas la première fois que je les vois, ils font des exercices dans toute la région pour se préparer à la guerre, mais ils ne montent jamais aux Courtils à cause du cimetière. Ça fait enrager ma tante Rachel qui dit que la troupe serait une bénédiction pour la limonade, mais M. Viret n'est pas d'accord avec elle, il trouve qu'il faut au moins laisser les morts se reposer en paix.

Le poste de police est dans la même maison que la mairie et que la caserne des pompiers, seulement pour entrer on doit passer par une petite porte de côté. Il y a un système pour que la porte se referme toute seule, mais le ressort est tellement dur que j'ai de la peine à l'ouvrir et que je dois me faufiler à toute vitesse pour ne pas être écrasée.

Je ne suis encore jamais venue dans un poste de police et ça m'étonne de voir qu'il n'y a pas de barreaux et même pas de gendarmes, juste un petit monsieur qui est debout derrière un comptoir en bois. Il est vieux mais il a la figure toute rose et il porte des manchettes de lustrine, comme celles qu'on a à l'école. Il se penche pour regarder quelle est la couleur de mes souliers et il dit :

— Eh bien quoi, tu ne sais pas lire ?

Il me montre du doigt un écriteau où c'est marqué qu'on doit s'essuyer les pieds avant d'entrer, mais c'est impossible parce qu'on est déjà dedans au moment où on le voit.

— Mais ils ne sont pas sales, dis-je.

— Ne discute pas, c'est le règlement !

Il attend que je me sois essuyé les pieds sur le paillasson avant de me donner une feuille de papier écrite des deux côtés, en me disant qu'il faut répondre à toutes les questions.

Contre le mur il y a une sorte de pupitre avec des encriers, mais c'est trop haut pour moi et j'arrive presque pas à voir ce que j'écris. Je mets mon nom et mon adresse, mais ça dépasse de partout parce qu'il n'y a pas assez d'espace entre les lignes. À la fin je vais porter la feuille au petit monsieur, mais il refuse de la prendre et il me montre un petit guichet à l'autre bout du comptoir. On y va ensemble et je me demande pourquoi il veut absolument que je lui donne la feuille en la passant entre les barreaux du guichet, ça doit sûrement être aussi à cause du règlement.

— Quelle vilaine écriture, dit-il en regardant la feuille de tout près. C'est ça qu'on t'apprend à l'école?

— C'est pas ma faute, dis-je, il y avait plein de saletés dans l'encrier.

Il rit comme une poule et il dit que les mauvais ouvriers ont toujours des mauvais outils, c'est bien connu. Ensuite il me demande si j'ai un écran bleu.

— Non, pour quoi faire? dis-je.

— Comment pour quoi faire? Tu ne sais pas qu'il faut mettre un écran bleu devant la lumière de ta bicyclette quand tu roules la nuit?

— Mais oui je le savais.

— Et alors, pourquoi est-ce que tu n'en as pas?

Il doit être un peu bête pour poser des questions pareilles et je lui explique que je n'en ai pas besoin parce que je n'ai pas de vélo.

— Comment tu n'as pas de vélo? dit-il avec une voix toute enrouée. Ah ça, mais c'est un comble!

Il se met à déchirer la feuille que je lui ai donnée en petits morceaux et après les avoir jetés à la corbeille, il me demande ce que je fais ici. Je lui dis que je suis venue porter un paquet à François, mais ça n'a pas l'air de l'intéresser et il me conseille d'aller m'asseoir sur le banc et de me tenir tranquille en attendant qu'on ait le temps de s'occuper de moi. Il dit encore qu'il connaît plusieurs petites filles qui se sont fait couper la langue parce qu'elles ont raconté des mensonges au commissaire, mais ça ne me fait pas peur.

En attendant François, je regarde les affiches qui sont punaisées contre les murs, on voit l'ombre d'un soldat qui souffle sur son index et dessous c'est écrit : *Méfiez-vous, des oreilles ennemies vous écoutent.* Je regarde aussi le petit monsieur en train de travailler, il est monté sur un tabouret et il écrit des choses dans un immense cahier. Chaque fois qu'il tourne une page ça fait du vent et les papiers qui sont posés sur son pupitre s'envolent par terre. Il va les ramasser pour les remettre à la même place et j'ai envie de lui dire qu'il ferait mieux de poser quelque chose de lourd par-dessus, mais après tout, ça n'est pas mes affaires.

À ce moment une porte s'ouvre et je vois François qui sort d'un bureau avec un monsieur que je reconnais tout de suite parce qu'il est complètement chauve et qu'il mange sa moustache. Je l'ai rencontré l'autre jour en allant rendre visite à Mme Clothilde, on s'est croisé dans l'escalier et il a fait semblant de me tirer dessus avec sa canne.

Il discute tranquillement avec François en lui mettant la main sur l'épaule et bientôt ils se mettent à rire tous les deux. Je ne m'attendais pas à ça et je me sens un peu bête d'être venue, personne ne veut faire du mal à François.

Tout à coup il voit que je suis là et ses yeux deviennent tout petits. Je me lève à moitié mais il tourne la tête et il continue de discuter en faisant semblant de rien. Le commissaire à la moustache prend deux tasses à café et un sucrier dans une armoire en fer et ils rentrent dans le bureau en refermant la porte derrière eux.

J'attends alors que le petit monsieur tourne une nouvelle page de son grand cahier et dès qu'il se penche pour ramasser les papiers qui se sont envolés, je file sans rien dire et je vais attendre dans le parc Pestalozzi, juste de l'autre côté de la rue. Les soldats sont en train de faire un exercice, c'est drôlement intéressant.

D'un côté il y a une centaine de soldats avec un fusil pour chacun, ils courent en pliant les jambes et ils essayent de ne pas se faire voir des autres en se jetant à plat ventre dans la boue derrière des buissons, mais on les repère tout de suite parce qu'ils se sont fait une sorte de chapeau avec leur casque et des petites branches.

Je comprends bientôt que tout le monde veut arriver jusqu'au kiosque à musique où la fanfare de Boischâtel donne des concerts le dimanche matin. Le commandant est déjà là avec des jumelles autour du cou, il crie après tout le monde, mais il est surtout furieux contre une dizaine de soldats qui se sont cachés derrière le tronc d'un peuplier et qui débordent un peu, forcément.

De l'autre côté du jeu de sable il y a une vieille porte de grange qu'on a fait tenir debout avec des piquets et sur laquelle on a écrit avec de la peinture blanche : *bloc de rocher*. En réalité c'est une feinte parce que tous ceux qui passent par là se font attraper et comme l'herbe est mouillée, ils étendent leur capote par terre avant de se laisser tomber pour mourir.

— Et alors, on est au spectacle ? dit François.

Je ne sais pas quoi répondre parce que je ne l'ai pas entendu venir. Il me prend par la main et on part sur le chemin des Courtils.

— Vous êtes fâché que je sois venue ?

— Oui un peu, dit-il, je ne veux pas que tu sois mêlée à tout ça.

— Alors je ne suis plus votre témoin ?

Il ne répond pas, ma question lui fait de la peine, mais comme j'en ai moi aussi ça ne me fait rien. À la fin il me demande pourquoi je suis venue au poste de police et je lui montre la bible de M. Voëgler en lui expliquant ce qu'on peut faire avec.

— Tu as cru que j'en aurais besoin ? dit-il.

— Je ne sais pas, des fois ça peut servir. Est-ce qu'ils vous ont parlé de la pluie et du beau temps ?

François sourit, mais il redevient vite inquiet en disant que c'est exactement ce qui s'est passé.

— Ils m'ont bien posé quelques questions sur mon oncle, dit-il, mais ce n'était pas ça qui les intéressait, ils avaient une autre idée derrière la tête.

— C'était peut-être au sujet de M. Fetz ?

— Ça se peut, dit-il, mais on n'a pas parlé de lui, si c'est ça que tu veux savoir.

Au moment de se quitter, François me demande si je veux quand même lui laisser la bible de M. Voëgler. Je la lui donne en disant que ce matin je n'ai pas réussi à faire disparaître mon grain de beauté, mais que c'est sûrement parce que je ne l'ai pas ouverte au bon endroit.

— Il n'y a pas de truc, dis-je, il suffit de lire certains passages à haute voix et ça marche tout seul. C'est M. Voëgler qui l'a dit et la preuve que c'est vrai c'est que M. Fetz n'a jamais réussi à lui faire dire où il avait caché les photographies.

— M. Voëgler était très courageux, dit François, et M. Fetz manque d'expérience.

Il réfléchit pendant un long moment en fronçant les sourcils, ensuite il pousse un gros soupir et il part sans me dire au revoir.

CHAPITRE XVII

Ça fait trois jours qu'il pleut et il n'y a plus une seule feuille sur le tilleul devant la fenêtre de ma chambre. Mon oncle Perruchet a dit ce matin qu'il y a une inondation à la Chaumine et qu'il a conseillé à François d'aller habiter ailleurs. Mais François n'a pas voulu.

Au village ce n'est plus comme avant, mais je ne saurais pas dire pourquoi. Le soir au café les gens jouent aux cartes sans se disputer et ma tante Rachel les sert en pensant à autre chose.

Cet après-midi, en allant à l'école, j'entends une voiture qui arrive derrière moi et comme j'ai ma pèlerine je dois me retourner complètement pour la voir venir. Elle s'arrête en freinant de toutes ses forces et je reconnais le conducteur malgré le chapeau qu'il a sur la tête, c'est le monsieur qui discutait avec François au poste de police. Il a toujours la même moustache, on ne pourrait jamais dire en le voyant comme ça que c'est un gendarme en civil. Il descend la vitre et il me demande s'il est bien sur la route qui va à l'asile des vieillards.

— Oui, c'est tout droit, dis-je. Est-ce que vous avez apporté des menottes ?

Il se tourne vers celui qui est assis à côté de lui en disant : « Hé brigadier, vous avez entendu ce que vient de dire la gosse ? » Après, il me regarde en dessous, il veut savoir pourquoi j'ai posé cette question.

— Pour rien, dis-je, c'est plus fort que moi, je ne peux pas m'empêcher de deviner. (C'est Mme Clothilde qui a dit ça la dernière fois que je l'ai vue.)

— Toi tu es un numéro pas ordinaire, dit le conducteur. Tu t'appelles comment ?

— Catherine. Je peux monter sur le marche-pied ?

— Si tu veux, tu nous montreras le chemin.

Depuis l'enterrement de M. Voëgler, je pense tous les jours à M. Fetz qui peut continuer à faire ce qu'il veut avec les petits vieux de l'asile, sans que personne n'ait le droit de dire quelque chose contre, et voilà que j'ai la chance d'être là au moment où la police vient l'arrêter. Malgré tout je n'arrive pas à me décider si ça me fait plaisir ou si ça me fait de la peine. C'est idiot, mais je suis déçue de voir que François a finalement tout raconté à la police.

La voiture passe sur le pont-levis et s'arrête dans la cour de Pré-l'Évêque. Les deux policiers sortent en claquant les portières et je leur dis de me suivre.

— Où est-ce que tu nous mènes comme ça ?

— Mais… chez M. Fetz, dis-je, c'est lui, c'est le directeur.

Ils me suivent sans rien dire et on trouve M. Fetz dans son bureau. Il ne s'attend pas à notre visite et quand le brigadier sort son portefeuille et lui montre une carte avec sa photographie, il commence à manger sa langue et à me regarder drôlement. Il a peur parce qu'il croit que j'ai raconté ce qui s'est passé à la Chaumine, la fois où il m'a prise sur ses genoux pour me montrer le livre avec les images sales. Je me sens alors devenir méchante, je vois que je peux lui faire du mal en racontant des choses sur lui, en disant par exemple qu'il a fait des mauvaises manières et en exagérant un peu.

Le policier à la moustache me prend par les épaules et me pousse dans le couloir en disant qu'il n'a plus besoin de moi, mais avant de refermer la porte il ajoute :

— Tu sais, c'était pas la peine de me raconter des histoires, je t'ai reconnue. Tu étais l'autre jour à Boischâtel, vrai ou faux ?

— Je crois que c'est plutôt vrai, dis-je. Est-ce que vous allez me couper la langue ?

Il a l'air étonné et je regrette d'avoir posé cette question, parce que juste avant de me fermer la porte au nez il dit qu'il n'a jamais pensé me couper quoi que ce soit, mais que c'est une bonne idée et qu'il va sûrement y réfléchir.

Je me demande si je dois aller voir ma mère avant de quitter l'asile, j'ai peur de la réveiller. Mais dès que j'ai pris la décision il se passe quelque chose de bizarre : plus je me rapproche de sa chambre et plus j'ai envie de courir. En arrivant je trouve François qui est justement en train de taper du poing contre la porte.

— Halinka, ne fais pas l'idiote, dit-il, il faut que je te parle.

Ma mère ouvre à moitié au moment où François se tourne vers moi pour me demander ce que je fais ici. Je n'arrive presque plus à souffler tellement je me suis dépêchée, mais je réussis quand même à dire que je suis venue ce matin à Pré-l'Évêque en me tenant debout sur le marchepied d'une voiture de la police.

— Qu'est-ce que c'est que cette histoire ? dit ma mère.

— Elle a raison, dit François, deux types de la Sûreté viennent d'arriver, je n'ai pas pu t'avertir avant.

— Mais où sont-ils ? dit-elle.

— Ils sont en bas chez M. Fetz, dis-je, ils sont venus pour l'arrêter.

— Ça, ça m'étonnerait, dit François. Qu'est-ce qui te fait dire ça ?

Mais je n'ai pas le temps de répondre, parce qu'au même moment les deux policiers arrivent au bout du couloir avec M. Fetz qui marche à reculons devant eux en leur faisant des discours avec les mains, et finalement on entre tous dans la chambre de ma mère.

— On arrive à temps, dit le brigadier en montrant les valises par terre.

Il ne sait pas que ma mère n'a jamais voulu ranger

ses affaires dans l'armoire et il croit qu'elle était en train de se préparer à partir. Tout le monde commence alors à parler en même temps, mais ce qui m'étonne le plus c'est de voir que M. Fetz fait tout son possible pour défendre ma mère, il dit que c'est une personne tout à fait sérieuse et qu'il est sûr que ces messieurs de la Sûreté se trompent en pensant qu'elle a pu faire quelque chose de défendu par la loi.

M. Fetz arrête de parler en voyant quelqu'un dans le couloir qui lui fait signe de sortir, c'est la grosse dame que j'ai déjà vue à la réunion spirite et dont M. Voëgler m'a parlé en disant qu'il n'a jamais rencontré quelqu'un d'aussi méchant.

Pendant ce temps François se chicane avec les policiers, il veut savoir qui leur a donné le droit d'entrer comme ça dans une chambre privée, et à la fin ma mère se met à crier et elle flanque une paire de claques au brigadier. Ils l'emmènent alors en la tenant par les bras de chaque côté, et quand elle passe devant François elle lui crache dans la figure pour de vrai, mais il devait s'y attendre parce qu'il ne bouge pas.

Je reste un petit moment seule avec François, je voudrais bien qu'il s'occupe de moi, mais il va s'asseoir sur le lit, il est tellement triste qu'il n'arrive pas à pleurer.

— Tu ferais peut-être mieux d'accompagner ta mère, dit-il sans me regarder.

En sortant de la chambre je vois M. Fetz et la grosse dame qui se battent à l'autre bout du couloir, elle est plus forte que lui et finalement elle réussit à le faire entrer dans la salle de bains en le tirant par les cheveux. Elle ferme la porte d'un coup de pied et après j'entends un drôle de bruit, comme quelque chose qui racle au fond d'une baignoire.

Je descends les escaliers de la tour carrée en sautant la moitié des marches et je rejoins les policiers qui s'en vont en tenant toujours ma mère par les deux bras. C'est affreux parce qu'on doit traverser tout l'asile, c'est plein de petits vieux qui se retournent et qui se disent des choses tout bas en nous montrant du doigt. Ça sent partout une odeur de dentiste et d'encaustique, ça me donne envie de rendre mais je me mords les lèvres très fort parce que ce n'est pas le moment.

En montant dans la voiture, ma mère me voit et elle se penche pour m'embrasser en essayant de me dire quelque chose, mais les mots n'arrivent pas à sortir et bientôt la voiture l'emmène en faisant crier ses pneus.

Je reste toute seule à l'entrée du pont-levis, le soleil vient juste de faire un trou dans les nuages et les pavés mouillés se mettent à briller chacun pour soi, c'est de toute beauté. Les pensionnaires de l'asile n'ont pas le droit de venir se promener dans cette partie du château, parce qu'on veut la garder historique le plus longtemps possible.

Tout à coup M. Fetz sort par la grande porte en courant, mais il manque de se flanquer par terre et il commence à tourner sur lui comme une toupie, en se cachant la figure dans les mains. Une fois, ma mère m'a expliqué qu'il ne pouvait pas supporter les rayons du soleil à cause qu'il était albinos, mais je n'aurais jamais cru que ça pouvait lui faire aussi mal. Je repense alors à ce qui est arrivé au chien des Viret sur la Grand'Place, le jour où le tram l'a coupé en deux.

De toute façon M. Fetz a beau pousser des petits cris et marcher comme un aveugle, moi j'ai décidé de le laisser se débrouiller tout seul. Pourtant, au moment où je vais partir, je vois qu'il s'est trompé de direction et qu'au lieu de rentrer dans le château il s'avance vers le ravin, c'est dangereux parce qu'au bout de l'esplanade il n'y a qu'une petite balustrade de rien du tout. M. Guillemin nous a expliqué qu'autrefois il y avait en bas un fossé plein d'eau, comme ça on pouvait jeter des petits pois brûlants sur les gens qui attaquaient le château avec des échelles, et c'est pour ça que dès que la guerre a été finie, on a rempli le fossé avec de la terre pour en faire un jardin potager. N'empêche que la muraille est aussi haute qu'une maison et que si M. Fetz continue d'avancer, il ira s'écrabouiller en bas comme un fromage.

Je me force à penser à toutes les vilaines choses qu'il a faites à l'asile et je me dis que ce serait une bonne leçon pour lui, mais au dernier moment je peux pas m'empêcher de lui crier de faire attention. Il s'arrête et il essaye de voir où je suis, mais il pousse un gémissement et il se cache de nouveau la tête dans les mains.

— C'est toi Catherine, mais où es-tu? Allez, viens m'aider, je t'en supplie.

— Non, je veux pas venir.

— Alors dis-moi au moins où est ta maman, il faut que je lui parle tout de suite, c'est très important.

— Ils l'ont emmenée en voiture, dis-je, c'est de votre faute.

M. Fetz se met à quatre pattes et avance à tâtons vers moi en jurant qu'il n'a pas eu besoin de dire quoi que ce soit aux policiers, parce qu'ils connaissaient toute l'affaire des Alpinistes avant même d'entrer dans son bureau. Il commence alors à pleurer en disant qu'il a terriblement peur que ma mère aille raconter des histoires sur lui pour se venger.

— C'est bien fait pour vous, dis-je, vous n'aviez qu'à pas rapporter.

Il me supplie de nouveau de venir le chercher pour le mener jusqu'à la porte du château, mais je pars en courant parce que je n'en peux plus.

En arrivant sur la route je me retourne et je vois que M. Fetz traverse la cour à quatre pattes, sa tête est tellement blanche qu'on a l'impression qu'elle ne fait pas partie du reste du corps, c'est affreux. J'aurais mieux fait de le laisser se casser la figure dans le ravin, comme ça on aurait été débarrassé de lui une fois pour toutes.

Au lieu d'aller à l'école je vais dans le bois des Cramer et je m'assieds sur un tronc d'arbre. Il recommence à pleuvoir malgré le soleil qui est toujours là, alors je ramène ma pèlerine tout autour de moi et je baisse le capuchon. Ça fait comme une petite cabane, il reste juste une fente pour voir dehors. Par terre les feuilles mortes font une sorte de tapis élastique et plein d'eau. Il y a aussi une odeur dans l'air qui ne ressemble à rien d'autre, je me sens bien, je suis toute seule, je n'ai même plus envie de pleurer.

En rentrant au village à midi je vois que le café est fermé et je passe par-derrière. Ma tante Rachel est en train de discuter dans l'arrière-salle avec M. Marcoux, qui dit que la police n'a pas le droit de garder ma mère sans l'accuser de quelque chose de précis, mais ma tante répond qu'à Winterthour il y a des gens qui font de la prison préventive depuis des mois et que malgré les articles dans les journaux, on n'a pas encore réussi à les faire sortir.

Ils se taisent quand ils me voient arriver et M. Marcoux veut que je vienne m'asseoir sur ses genoux. Autour de la bouche, il a des tas de petites rides qui remontent, ça donne l'impression qu'il est tout le temps en train de sourire, mais ça ne m'empêche pas de deviner qu'il est triste aujourd'hui, quelqu'un a peut-être été désagréable avec lui, on ne sait jamais. Une fois il m'a donné des roses pour ma mère et quand j'ai été les porter à l'asile, elle a dit : « Allons bon, qu'est-ce qu'il me veut ce vieux schnoque ? » Elle prétend qu'elle ne lui a jamais adressé la parole depuis qu'elle est aux Courtils et pourtant lui, il me demande de ses nouvelles chaque fois qu'il me voit, je crois qu'à force de vivre au milieu des fleurs il est devenu très gentil avec tout le monde.

— Alors, on m'a dit que tu étais là quand c'est arrivé, dit-il.

— Arrivé quoi? dis-je.

— Ce matin, quand ils ont emmené ta maman.

— Ah oui, j'ai tout vu.

J'ai presque oublié l'arrivée des policiers à l'asile et ce qui s'est passé ensuite. J'ai l'impression que c'est déjà une vieille histoire, ça doit être parce que je n'aime pas assez ma mère. Je me sens honteuse.

— Elle ne se rend pas compte, dit ma tante, ça vaut mieux pour elle.

Elle a peur que la police vienne l'arrêter elle aussi, parce qu'elle a aidé ma mère à faire passer les Alpinistes et M. Marcoux a beau lui dire qu'il ne faut pas s'affoler, elle parle sans arrêt de partir en Suisse allemande où elle connaît des gens qui pourront la cacher. À la fin elle accepte quand même d'ouvrir le café et de faire comme si de rien n'était.

Ce soir, après le souper, je l'aide à faire la vaisselle, c'est toujours un moment où on a de bonnes discussions ensemble, je peux lui dire des tas de choses sans qu'elle se fâche, c'est peut-être parce qu'on a toutes les deux les mains dans l'eau. Je lui demande pourquoi mon oncle n'est pas encore rentré.

— Il est descendu à Genève avec François, dit-elle, ils ont été trouver des gens pour voir si on peut faire quelque chose pour Halinka.

— Tu crois qu'ils vont réussir?

— Je ne sais pas, dit-elle, mais j'espère que tu vas te montrer courageuse.

Elle m'explique alors que tout ce qui s'est passé dernièrement aux Courtils n'a pas été bon pour mes nerfs et qu'il vaut mieux que je parte pendant quelques mois pour retrouver mon équilibre.

— J'ai perdu l'équilibre? dis-je.

Ma tante me raconte que depuis quelque temps je crie pendant la nuit, et même que l'autre soir je me suis levée et je suis sortie dans la ruelle à l'arrière du café.

— C'est pas vrai, dis-je.

— Tu dormais, dit-elle, tu ne t'es pas rendu compte.

— Où est-ce que vous allez me mettre?

— Tu iras chez le frère de ton oncle, il est pasteur mais il a cinq enfants, tu ne vas pas t'ennuyer. Ils habitent aux Brenêts, dans le canton de Neuchâtel, c'est un beau coin.

Je ne dis rien mais je pense tout de suite à François, j'ai beau être fâchée contre lui, je ne peux quand même pas le laisser tout seul aux Courtils maintenant que ma mère n'est plus là, il a besoin de quelqu'un pour s'occuper de lui.

Je suis au lit avec la lumière éteinte depuis un bon moment quand mon oncle Perruchet entre dans la chambre tout doucement et vient s'asseoir à côté de moi. Il a laissé la porte entrouverte derrière lui et je peux voir son contour, mais à part ça je ne sais pas quel air il a. Je fais semblant de dormir, je ne veux pas qu'il sache que je suis en train de pleurer et il reste silencieux pendant un long moment en me caressant les cheveux. À la fin il dit à voix blanche :

— Tu ne dors pas ?

— Non.

— Tu as du chagrin ?

Je veux répondre que non, mais c'est un drôle de bruit qui vient à la place et j'ai envie de me cacher sous la couverture.

— Tu te demandes peut-être si c'est François qui a dénoncé ta mère, dit mon oncle.

Je ne sais pas comment il a fait pour deviner ça, mais ça m'aide à comprendre pourquoi ce matin j'ai laissé M. Fetz se débrouiller seul dans la cour du château, j'avais peur de croire qu'il disait la vérité quand il jurait que ce n'était pas lui qui avait dénoncé ma mère.

— Mais pourquoi François a fait ça ? dis-je.

Mon oncle répond que je me fais de la bile pour rien, vu que François n'a rien dit à la police.

— Tu en es sûr ? dis-je.

— Oui, j'en suis sûr.

Je ferme les yeux et je me sens devenir toute molle et chaude en dedans de moi, c'est exquis. Mon oncle ne dit plus rien et quand je le regarde de nouveau, je vois que ses cheveux brillent dans l'obscurité, ils sont rouges comme c'est pas permis.

— François, c'est ton ami ? dis-je.

— Oui, bien sûr que c'est mon ami. Dis, Cathy, si j'étais toi j'irais faire un tour à la Chaumine demain matin.

— Mais j'ai l'école, dis-je.

— Ça ne fait rien, il y a des choses plus importantes que l'école.

Je ne l'ai jamais entendu dire ça et je cherche ce que ça peut bien être.

— C'est à cause de l'inondation? dis-je.

— Non, ça n'a rien à voir avec l'inondation, dit-il, c'est autre chose, François t'expliquera lui-même.

Mon oncle me prend la main et il m'embrasse comme si j'étais une princesse, ça me gêne un peu mais en même temps je voudrais bien qu'il revienne tous les soirs pour une petite discussion dans le noir comme celle qu'on vient d'avoir. Il reste de nouveau silencieux pendant un long moment, puis il dit doucement:

— Tu as raison pour François, c'est vraiment un ami pour moi.

Alors il se lève et il sort de la chambre sans faire de bruit, en se tenant les épaules un peu bossues. C'est une de ses mauvaises habitudes, il a beau être très grand il ne faut rien exagérer, la porte est assez grande pour le laisser passer tout entier.

À présent j'ai de la peine à m'endormir tellement j'ai peur de faire des choses pendant mon sommeil sans m'en rendre compte. Finalement je prends la ceinture de ma robe de chambre et je m'attache le pied aux barreaux de mon lit, comme on a fait à M. Voëgler. C'est une bonne idée parce que je m'endors presque tout de suite.

CHAPITRE XVIII

Ce matin le temps est encore bouché et je mets mes bottes en caoutchouc, c'est amusant, je peux marcher dans les flaques sans risquer d'attraper un rhume.

En arrivant à la Chaumine je vois que la moitié du jardin est complètement recouverte d'eau, ça fait comme une grande mare, et en passant près du puits j'enfonce dans l'herbe jusqu'aux chevilles.

En entrant dans la maison je trouve d'abord une valise, posée au milieu du vestibule.

— Je t'attendais, dit François en sortant de la cuisine, viens voir ça.

Il ouvre la porte de la cave et je vois que l'escalier disparaît après la troisième marche dans une eau toute noire et immobile, c'est un peu effrayant.

— Je vais voir si je n'ai rien oublié, dit François.

On fait le tour de la maison, les planchers sont tout mous et sur les murs il y a des grandes taches sombres.

— L'électricité est coupée depuis hier soir, dit-il.

En passant dans le salon je tourne la manivelle de l'ogre de Barbarie, mais j'arrête presque tout de suite parce que ce n'est plus le même air qui sort, c'est une sorte de musique qui a le nez bouché. Ça ne fait plus penser aux manèges, mais à des choses tristes.

Je regarde du côté de François et je dis :

— Alors, vous partez ?

— Oui, je pars.

— Pour toujours ?

Il ne répond pas, on sort en laissant la porte de la maison grande ouverte et on marche jusqu'à la vieille forge, je ne sais plus quoi dire. Il a arrêté de pleuvoir, le ciel est encore plein de nuages noirs mais, du côté du Jura, il y a une longue bande de ciel bleu et des taches de soleil sur le dessus de la montagne.

— Où vous allez ? dis-je.

— Là-bas, dit François.

— Vous retournez en France ?

— Oui.

— C'est pas dangereux ?

— Je ne sais pas, ça doit être plus facile de passer la frontière dans ce sens-là.

Il m'explique qu'il veut au moins essayer d'arriver jusqu'à Étrembières sans se faire prendre, pour aller dire aux gens du réseau Warynski qu'il n'y aura personne ici pour accueillir un nouveau groupe d'Alpinistes à la prochaine lune.

— Le réseau s'appelle comme moi? dis-je.

— Oui, il y a peu de gens qui le savent, mais ceux-là s'en souviendront toujours.

François veut sûrement parler des gens que j'ai vus dans la cave de la Chaumine en train de se raser et de changer de vêtements, et j'imagine le jour où ils seront des petits vieux que j'irai voir à l'asile, je leur dirai que je m'appelle Warynski et ils se mettront à genoux pour m'embrasser les mains.

Je dis à François que je le trouve très courageux de traverser la frontière rien que pour aller dire aux Alpinistes de faire attention à eux, mais il souffle dans ses joues et il dit :

— Tout ça c'est bien joli, mais c'est pas pour eux que je m'en vais, c'est pour moi, parce que justement je n'en peux plus d'avoir le beau rôle.

Il m'explique qu'il est venu en Suisse en croyant que c'était un pays où on pouvait facilement s'acheter une bonne conscience pour remplacer celle qu'on avait perdue, et c'est pour ça qu'il s'est arrangé pour être toujours du côté du bon droit, dans l'affaire des Alpinistes comme dans celle de Pré-l'Évêque.

— Malheureusement ça n'a pas marché, dit-il, on ne change pas de conscience comme de chemise.

Je trouve que les raisons de François sont bien compliquées, mais après je me souviens de ce qu'il a raconté à mon oncle l'autre jour au sommet du clocher. Je ne comprenais pas alors comment la paix qu'on a chez nous pouvait empêcher François d'être heureux, mais je suis bien obligée à présent de voir que c'est quand même ça qui est arrivé.

— Ici, les gens m'ont traité avec trop de considération, dit-il, c'est comme si la guerre avait fait de moi quelqu'un d'important, tu comprends? Mais je ne suis pas quelqu'un d'important.

Il dit encore que Mme Clothilde est la seule au village qui a vu clair en lui. Il est d'ailleurs allé la trouver hier soir, il ne voulait pas partir sans la voir une dernière fois. Grâce à elle, il sait maintenant qui a dénoncé ma mère.

— Qui c'est?

— C'est M. Viret, dit-il. Pendant un bout de temps tu as cru que c'était moi, n'est-ce pas?

Je regarde par terre et je lui demande pardon, mais il vient taper avec son doigt sous mon menton en disant que ça n'a plus aucune espèce d'importance.

— Est-ce que tu sais pourquoi ta maman m'a craché au visage l'autre jour à l'asile? C'est parce qu'elle pensait elle aussi que c'était moi qui l'avais dénoncée.

— Mais pourquoi vous n'avez rien dit?

— Vois-tu Cathy, il arrive un moment où on n'en peut plus, on n'a même plus envie de se défendre. Et puis ça m'arrange peut-être de laisser Halinka croire que je suis capable de faire une chose pareille… En tout cas ça va l'aider à m'oublier. Je l'ai beaucoup aimée, tu sais.

— Et moi? dis-je.

Il me regarde comme il l'a fait le premier jour quand il m'a dit que j'étais une petite Juive.

— Toi c'est le contraire, je ne veux pas que tu m'oublies, je ne veux pas que tu oublies ce qui s'est passé ici à Malombré. Tu me le promets ?

— Oui, je vous promets.

On est arrivé au haut du sentier qui descend vers la Vivonne, François pose sa valise et il sort une enveloppe de sa poche pour me la donner.

— C'est quoi ? dis-je.

— C'est les photos de M. Voëgler.

— Pour quoi faire ?

— Pour rien. Garde-les pour toi, ça t'aidera à tenir ta promesse.

Mais François voit bien que je ne comprends pas pourquoi il me dit de ne rien faire avec les photographies, alors il m'explique que dans la lettre que M. Viret a écrite à la police pour raconter tout ce qu'il savait sur les Alpinistes, il a aussi parlé des petites combines de M. Fetz, du marché noir et de tout le reste.

— Mais alors, pourquoi on ne l'a pas arrêté lui aussi ? dis-je. C'est pas juste !

— Non, c'est pas juste, dit François.

Il reprend sa valise, c'est le moment de se dire au revoir.

— Quand la guerre sera finie, vous reviendrez ? dis-je. Je serai plus grande vous savez.

Il a soudain les yeux pleins de larmes et il dit quelque chose que je ne comprends pas, alors je lui demande de m'embrasser sur la bouche pour de vrai et je ferme les yeux. J'ai peur qu'il mette sa langue et que ça me dégoûte, je sens tout à coup sa bouche sur mes lèvres et j'arrête de respirer. Il reste comme ça longtemps pour me montrer à quel point il m'aime, c'est merveilleux.

CHAPITRE XIX

Je suis revenue aux Courtils pour les vacances de Noël. Ça fait plus de deux mois que François est parti et chaque fois que ma tante Rachel ou mon oncle ont téléphoné aux Brenêts pour avoir de mes nouvelles, j'ai demandé si une lettre de France était arrivée pour moi. En réalité je sais bien qu'il ne peut pas m'écrire à cause de la guerre, mais je pose quand même la question, à force d'insister ça va peut-être aider la guerre à finir un ou deux jours plus tôt.

Mon oncle Perruchet devait venir m'attendre à la gare, mais comme il n'y avait personne j'ai pris le tram et je suis montée toute seule aux Courtils. Le plus fort c'est que mon oncle est venu me chercher comme prévu et qu'on s'est manqué. Ma tante Rachel en a parlé pendant au moins trois jours, elle trouve que c'est inexplicable et moi aussi je me dis que c'est difficile de ne pas voir mon oncle quelque part, même avec beaucoup de monde autour de lui.

En arrivant aux Courtils je m'attendais à ce que tout le monde me pose des questions et me raconte ce qui s'est passé ici depuis mon départ, mais j'ai été déçue parce que personne ne semble avoir remarqué que je suis partie pendant si longtemps. Il y a juste M. Cassani qui dit que je lui ai manqué et que durant mon absence, il s'est de nouveau disputé avec son dictionnaire. Quand je lui ai demandé ce qu'il avait gravé sur la pierre de M. Voëgler, il a dit : « Rien du tout » et il m'a expliqué qu'il faut attendre au moins six mois avant de pouvoir mettre une inscription sur la tombe de quelqu'un, c'est le règlement. Je trouve ça complètement idiot, parce que pendant ce temps les gens risquent d'oublier leurs morts, mais de toute façon ça ne change pas grand-chose pour M. Voëgler, vu que personne ne se souvient déjà plus de lui.

M. Cassani m'a demandé des nouvelles de ma mère et je lui ai dit qu'elle est encore dans sa prison préventive. Mon oncle croyait que je pourrais aller lui rendre visite pour Noël, mais ça ne s'est pas arrangé à cause de raisons compliquées. Alors à la place j'ai fait un bonhomme avec de la pâte à modeler et je l'ai envoyé à ma mère comme cadeau, malheureusement les gendarmes l'ont coupé en rondelles avant de lui donner, parce qu'ils voulaient voir s'il n'y avait pas quelque chose de caché à l'intérieur.

Ça fait qu'on est tous un peu tristes aujourd'hui,

malgré que ce soit le jour de Noël, surtout que ma tante Rachel a fait exprès de mettre un couvert de trop à table. Heureusement Mme Montfavon vient nous apporter une immense bûche avec des champignons en massepain plantés dessus. Je vais chercher M. Marcoux pour qu'il la mange avec nous, il s'enveloppe dans deux couvertures de laine avant de traverser la rue. Il tousse beaucoup et il me dit de ne pas l'approcher trop près, parce qu'il a peur de finir ses jours dans un sanatorium.

Mme Montfavon reste elle aussi pour prendre le café, elle est maintenant presque tout à fait enceinte. En arrivant, elle a posé un cornet sur le buffet et moi je l'ai ouvert sans faire exprès, en pensant que c'était peut-être un cadeau, mais c'était rien d'autre qu'une petite bouteille et quand j'ai demandé si c'était de la liqueur de poires, Mme Montfavon a ri en mettant la main devant sa bouche. Dès qu'elle est partie, ma tante Rachel m'explique que c'est du pipi que mon oncle doit aller porter le lendemain à la pharmacie de Boischâtel.

À ce moment M. Marcoux dit que Mme Montfavon a pris un peu d'avance sur la dernière permission de son mari, et mon oncle répond que dans cette affaire tout le monde s'est passé de sa permission. Ils rient comme des bossus, ça ne sert à rien d'essayer de comprendre, je ferais mieux de demander directement à Mme Montfavon la prochaine fois que je la verrai.

Je ne suis pas encore allée chez Mme Clothilde, et quand je traverse la Grand'Place je n'ai plus l'impression que son regard me suit dans son plafond. Mon oncle

Perruchet dit qu'elle ne reconnaît plus personne et qu'il faut la faire manger de force, c'est peut-être pour ça que je l'ai entendue crier la fois où je suis allée tirer une ficelle dans l'escalier de leur maison, pour que M. Viret se casse la figure en descendant. Malheureusement la ficelle était trop courte, alors j'ai dessiné des têtes de mort sur les murs en attendant de trouver un autre moyen pour me venger de lui.

Cet après-midi, au café, il a raconté que les maçons et les Juifs sont venus le menacer jusque chez lui, mais qu'il n'a pas l'intention de se laisser intimider. Il a fait la grimace en goûtant sa bière et il a dit qu'elle avait un drôle de goût, n'empêche qu'il l'a quand même bue jusqu'au bout sans savoir que dedans, il y avait au moins un quart de pipi de Mme Montfavon.

Je me suis beaucoup réjouie de venir aux Courtils pour les fêtes, mais maintenant que j'y suis je m'ennuie plutôt, je suis presque impatiente de rentrer aux Brenêts.

Le lendemain de Noël j'ai rencontré Alain Deshusses et il m'a invitée à venir chez lui aujourd'hui. Il m'attend près du portail et il m'explique qu'il ne peut pas me laisser rentrer et qu'on lui a défendu de me dire que c'est parce que ma mère est en prison. Il devait inventer n'importe quelle excuse à la place, mais il n'en a pas trouvée, alors on cherche ensemble ce qu'il pourrait dire à ses parents, quand il leur dira ce qu'il m'a raconté.

Cette nuit il a neigé et ce matin, pendant que ma tante Rachel prépare ma valise, je vais faire un tour jusqu'à Entremont. C'est le premier jour d'école, c'est une bonne occasion pour revoir Mlle Grémillet et mes anciens camarades de classe.

Je passe par le raccourci dans le bois des Cramer, il fait un soleil complet et la couche de neige est si mince que derrière moi l'herbe apparaît partout où j'ai posé les pieds.

En passant devant la Chaumine je vois que l'inondation est finie, mais je n'ose tout de même pas traverser le jardin. La maison a l'air morte, et ce qui me fait le plus drôle c'est de voir que la porte d'entrée est encore grande ouverte, comme si personne n'était revenu ici depuis le départ de François.

En arrivant dans le préau de l'école j'entends les enfants qui chantent une chanson que je connais bien, et je me mets à la chanter moi aussi :

C'est si simple d'aimer
De sourire à la vie
De se laisser charmer
Lorsque c'est notre envie
De permettre à nos cœurs
D'entrouvrir la fenêtre
Au soleil qui pénètre
Et qui nous rend meilleurs.

Quand le chant est fini je reste dehors en me demandant ce qu'il faut faire, je n'ai plus tellement envie d'aller leur dire bonjour et à la fin je pars, je me sens triste sans savoir pourquoi.

Je fais un grand tour dans la campagne de Malombré et partout je rencontre les petits vieux de l'asile qui se promènent par deux ou trois dans leurs vêtements noirs et qui marchent encore plus doucement que d'habitude à cause de la neige.

J'ai envie de leur demander comment ils vont et s'ils se souviennent de ma mère et de François, mais j'ai peur de les déranger. J'ai l'impression que plus personne ne sait ce qui s'est passé entre le moment où François est arrivé aux Courtils et le moment où il est reparti, et je me demande si je vais être capable de tenir ma promesse.